**Pra
vida toda
valer a
pena viver**

Ana Claudia
Quintana Arantes

Pra vida toda valer a pena viver

Copyright © 2021 por Ana Claudia de Lima Quintana Arantes

Todos os direitos reservados. Nenhuma parte deste livro pode ser utilizada ou reproduzida sob quaisquer meios existentes sem autorização por escrito dos editores.

edição: Sibelle Pedral

preparo de originais: Alice Dias

revisão: Hermínia Totti e Luis Américo Costa

diagramação: Valéria Teixeira

capa: Angelo Bottino

imagem de capa: mashuk / Getty Images

impressão e acabamento: Bartira Gráfica

CIP-BRASIL. CATALOGAÇÃO NA PUBLICAÇÃO
SINDICATO NACIONAL DOS EDITORES DE LIVROS, RJ

A683p

Arantes, Ana Claudia Quintana

Pra vida toda valer a pena viver : pequeno manual para envelhecer com alegria / Ana Claudia Quintana Arantes. - 1. ed. - Rio de Janeiro : Sextante, 2021.

160 p. ; 21 cm.

"Autora de: A morte é um dia que vale a pena viver"
ISBN 978-65-5564-242-1

1. Envelhecimento. 2. Envelhecimento - Aspectos psicológicos. 3. Envelhecimento - Aspectos da saúde. 4. Envelhecimento - Aspectos sociais. 5. Hábitos de saúde. I. Título.

21-73379

CDD: 612.67
CDU: 613.98

Camila Donis Hartmann - Bibliotecária - CRB-7/6472

Todos os direitos reservados, no Brasil, por
GMT Editores Ltda.
Rua Voluntários da Pátria, 45 – 14º andar – Botafogo
22270-000 – Rio de Janeiro – RJ
Tel.: (21) 2538-4100
E-mail: atendimento@sextante.com.br
www.sextante.com.br

SUMÁRIO

Introdução	7
Parte I Acolher o envelhecimento	19
Parte II Cuidar do corpo que habitamos e da mente que nos guia	35
Parte III Lapidar as relações humanas	55
Parte IV Aprender a perder	69
Parte V Conviver com os lutos	83
Parte VI Cultivar as boas lembranças	93
Parte VII Reconhecer e tratar a dor fantasma	103
Parte VIII Encontrar o sentido da existência	113

Parte IX
Fazer as pazes com o tempo de morrer
depois de envelhecer 125

Epílogo
Um papo reto com você que me lê 149

INTRODUÇÃO

"Chegou o momento de não mais escrever sobre o final feliz. Quero jogar luzes sobre o durante feliz."

Você já esteve no deserto?

Eu já estive uma vez. Foi no Atacama, que fica no norte do Chile. O lugar mais lindo que visitei na vida. Natureza sublime e perfeita na arte dos extremos: quase 40 graus Celsius de dia, 15 graus *negativos* à noite. Um silêncio "de verdade", em que é possível escutar com clareza absurda o som do ar passando pelo nariz, entrando nos pulmões e saindo pelas narinas. Descobri que, até experimentar a quietude do deserto, eu nunca tinha sido exposta ao silêncio real. Também encontrei lá o mais belo céu diurno, sol pleno, nuvens de formatos diferentes em torno de montanhas com cobertura de gelo, lindíssimas. Sob o sol tórrido, fiz trilhas íngremes e nadei em lagos gelados e salgados. Em noites absolutas, estive sob um céu de estrelas que, por alguns instantes, pareciam tão próximas que pensei ser possível tocá-las.

Jamais me esqueci dessa viagem e me apropriei das memórias dela para criar uma metáfora que ajuda a explicar o que desejo clarear aqui: o processo de envelhecimento.

Então vamos juntos pensar em outro deserto, igualmente inóspito e misterioso.

O Saara.

Eu nunca estive lá, mas o conheço bem por muitos filmes

e documentários. Tenho fascinação por aquele mar de areia dourada a perder de vista. O maior deserto quente do planeta tem cerca de 9,4 milhões de quilômetros quadrados, um pouco maior que a área total do Brasil. Lá chove menos de 100 milímetros por ano; para dar uma ideia, num único domingo particularmente chuvoso de fevereiro de 2020, a cidade de São Paulo recebeu 114 milímetros de água.

No Saara, durante o dia, a temperatura é ainda mais extrema que a do Atacama, podendo passar de 50 graus Celsius. À noite, esfria bruscamente e chega a atingir os mesmos 15 graus negativos do deserto chileno. As tempestades de vento são uma constante, redesenhando o relevo de dunas o tempo todo. É lindo, áspero, selvagem.

Mas o que o Saara e o Atacama têm a ver com o envelhecimento, que é o tema deste livro?

Você já vai entender.

Vamos fazer um exercício de imaginação. Suponhamos que nós dois, você e eu, tenhamos hoje 40 anos. Firmamos um compromisso: daqui a trinta anos, quando tivermos 70, nos mudaremos para o Saara. E vamos morar lá para sempre. A única forma de não embarcar nessa viagem é morrendo antes. Você concorda, assina o termo de compromisso e segue com a sua vida.

Finalmente estamos diante do grande dia.

Chegamos. Desembarcamos malas, vamos direto ao lugar da nossa moradia, sem mais adiamentos. Como está amanhecendo, nos animamos para uma caminhada. O dia está lindo.

Menos de uma hora depois, você comenta:

"Nossa, mas é muito quente aqui." Sim, é bem quente mesmo. Sinto muito, mas você sempre soube que no deserto faz calor, não é?

"Ah, mas venta muito", você diz em seguida. Sim, venta. Mas você também sabia disso, certo? Passamos trinta anos esperando por esse dia e de agora em diante esta será a nossa casa. Não há como voltar atrás.

"Mas eu não quero viver assim." Lamento, combinado é combinado. Você teve três décadas para morrer e não morreu. Agora precisa se acostumar.

"Ana, eu sabia que era quente, mas não que era *tão* quente. Além disso, não trouxe protetor solar nem óculos escuros para proteger os olhos de tanta luminosidade!"

Sinto muito. Teremos que seguir em frente sem protetor e óculos especiais.

Você passa o dia inconformado com a situação, mal acreditando que isso esteja mesmo acontecendo. Cai a noite e você me diz: "Como faz frio! Eu não estava preparado! Não tenho agasalho nem cobertor para suportar temperaturas tão baixas!"

Bem, é o deserto. Você teve muitos anos para pesquisar sobre ele. Deve ter sido um excelente praticante do momento presente, pois nem teve tempo de pensar um pouquinho no seu futuro domicílio.

"Precisava ter trazido comida? Água?"

Isso já é o cúmulo do despreparo. O deserto não costuma ser hospitaleiro com os viajantes distraídos, nem mesmo com os mais abastados intelectual, social ou financeiramente. Ele guarda surpresas bem desagradáveis para quem não o respeita e não se prepara para estar nele.

Agora só lhe resta acreditar que é capaz de aprender a lidar com a realidade.

Nessa metáfora, o deserto do Saara é a nossa velhice. Se não morrermos antes, é certo que envelheceremos. E, se sabemos desde sempre que vamos envelhecer, como explicar o fato de não nos prepararmos para isso? Por que nos permitimos chegar ao deserto sem protetor solar, sem agasalho, sem comida? Não importa se você é pobre ou rico: se não respeitar esse futuro e se planejar para estar nele pelo resto da vida, terá um tempo bem sombrio e difícil pela frente.

Pois é assim que muita gente se comporta diante da ideia de envelhecer. Essas pessoas sabem que vão passar por intempéries de diversas naturezas a partir de certa idade, mas, misteriosamente, fingem que não é com elas e não se preparam. Acontece que, quando chegam ao deserto do Saara, não tem volta: precisarão se virar com o que têm, com a bagagem que trouxeram.

Este livro pretende ser um guia para pessoas interessadas em chegar mais preparadas ao deserto. Envelhecer é um processo complexo, que não se limita à saúde física e envolve o bem-estar mental, as emoções e a sociabilidade. Aqui proponho nove pilares para começar a construir hoje uma velhice boa, feliz e preenchida pela coragem de viver. Faço recomendações que respeitam as limitações que o tempo trará, mas que não se deixam tolher por elas. Deixo pistas de atitudes e sentimentos que nos permitirão envelhecer na companhia daqueles que escolhemos para estar ao nosso lado nessa fase. Falo sobre lidar com as perdas indissociáveis da velhice – de pessoas queridas, de movimentos, de liberdades –, mas também trago a esperança de um tempo de vida recheado de alentos, com pequenas e grandes alegrias. Isso é perfeitamente possível. Mas temos que começar nossa preparação agora. Sem perder um minuto sequer.

Nos meus dois livros anteriores eu me debrucei sobre a morte, relatando minha vivência como médica. Expliquei por que considero a morte um dia que vale a pena viver, como diz o título do primeiro. No segundo, apresentei histórias lindas de morrer, histórias de boas mortes, mostrando que é possível chegar a esse "dia que vale a pena viver" com o coração tranquilo e as pendências quitadas. Vejo esses dois livros conectados como um símbolo do infinito, o primeiro levando ao segundo, o segundo como desfecho natural do primeiro.

Aqui, nesta nova obra, sou tão caminhante quanto você que lê estas linhas. Já sabemos que nos espera um fim comum. E esse fim pode ser preenchido com a kalotanásia, a morte bela, que podemos chamar carinhosamente de "final feliz".

O que quero discutir neste livro é: *O que faremos com o nosso tempo de vida até que a morte nos leve?*

Como autora, chegou o momento de não mais escrever sobre o "final feliz". Quero jogar luzes sobre o "durante feliz".

Sou apaixonada pelos filmes da série *Piratas do Caribe*, uma franquia dos Estúdios Disney estrelada pelo ator Johnny

Depp no papel do pirata Jack Sparrow. Se você nunca viu, veja. A ideia do "durante feliz" criou raízes no meu imaginário quando vi o primeiro filme da série, uma trama de 2003 cujo subtítulo é "A maldição do *Pérola Negra*". Nele, Jack Sparrow, o anti-herói (que para mim, no entanto, é um herói, resplandecente de humanidade), precisa resgatar seu navio, o tal *Pérola Negra* do título, que foi roubado por outro pirata, o capitão Barbossa (vivido por Geoffrey Rush). Barbossa e seu bando tinham se apoderado de uma arca que guardava moedas mágicas: graças a elas, tinham o dom (ou talvez devêssemos dizer maldição?) da imortalidade. Durante o dia, a tripulação agia como piratas normais, atacando e saqueando outras embarcações. À noite, ao luar, tornavam-se zumbis, com peles dependuradas e ossos à mostra.

Há um diálogo maravilhoso entre Jack Sparrow e Barbossa em que Jack se confessa seduzido pela ideia da imortalidade. Gostaria de experimentar, de entender como é. Barbossa quase o dissuade com sua surpreendente honestidade. Ser imortal não tem graça nenhuma, explica. De que vale tomar um vinho sem sentir a embriaguez? Amar uma mulher sem os prazeres do amor? Provar uma maçã sem perceber a doçura? Em outras palavras, de que vale a imortalidade sem um "durante feliz"? Mesmo assim, Jack segura uma moeda e, por alguns momentos, torna-se imortal. À noite, ao luar, contempla, fascinado, o próprio braço descarnado, zumbi que se tornou – uma metáfora da sombra, do nosso lado sombrio, que a psicanálise nos convida a explorar em nós mesmos.

Nesse filme fui apresentada a um tesouro: a bússola de Jack Sparrow, um objeto que todos supunham quebrado porque não apontava para o norte; apontava para onde o coração de Jack queria estar. É assim que ele acha o *Pérola Negra*. Sua bússola lhe mostrou onde ele queria estar, e esse lugar era o navio em que vivera tantas aventuras e que lhe trazia felicidade, onde gostaria de passar o resto de sua vida.

Quando estamos onde nosso coração deseja estar, vivemos uma vida bem vivida. Todos deveríamos estar atentos à "bússola quebrada" que habita dentro de nós. Essa bússola nos indicará como deve ser o nosso "durante feliz".

No segundo filme da franquia, *O baú da morte*, de 2006, Davy Jones (personagem de Bill Nighy), o arqui-inimigo da vez, despacha Jack para o mundo dos mortos, que na trama corresponde ao fim do mundo. De lá ele será resgatado por Barbossa no filme seguinte, intitulado *No fim do mundo*. Esse terceiro filme é incrível, com conexões maravilhosas para quem reflete sobre a vida e a morte. Assisti no cinema, a força dos símbolos amplificada pela tela grande, e depois revi muitas vezes a cena da tempestade engolindo os barcos enquanto Barbossa se empenha em lutar com o máximo de espadas possível. Questionado por seus homens atemorizados e furiosos com o líder que os tinha levado para a morte, Barbossa ergue uma espada e proclama:

"A morte é um dia que vale a pena viver!"

E assim revelo o grande segredo por trás do título do meu primeiro livro, que também deu nome à minha primeira palestra do TEDx, vista por milhões de pessoas desde 2013.

Entre a consciência da morte e a morte propriamente dita há uma caminhada.

No "durante" – vamos simplificar e chamá-lo assim daqui por diante, como se fosse um velho conhecido, com suas lutas e alegrias cotidianas – fará muita diferença a companhia que teremos ao longo do caminho. Talvez você e eu ainda não estejamos preparados para enfrentar o deserto que nos aguarda, mas eu gostaria de seguir ao seu lado nessa jornada. Meu desejo é que, por meio desta obra, minha voz tenha o poder de acalmar seu coração e lhe ofereça segurança enquanto caminhamos juntos. De minha parte, posso dizer que a sua companhia será fundamental no despertar da minha força e coragem para encontrar saídas para nossos desafios comuns.

Se esses desafios já eram numerosos, posso dizer que se multiplicaram ao longo de 2020 e 2021.

Escrevo esta introdução em plena pandemia de covid-19, que trouxe uma dificuldade adicional ao nos empurrar para um tempo de reclusão. Esperávamos que durasse poucos meses. No entanto, para quem cumpriu, ao menos em parte, as recomendações de distanciamento social feitas por órgãos responsáveis de saúde pública, a reclusão prolongou-se insuportavelmente. E assim tinha que ser, para evitar uma explosão ainda maior de mortes. Mas o fato é que muitos de nós não tivemos companhia, não tivemos testemunhas dos dias que passamos sozinhos. Isso nos marcará para sempre e influenciará nossa percepção do tempo no deserto.

Muitas vezes precisamos do olhar do outro para validar o que sentimos, e, na solidão do medo do vírus e da doença, não o tivemos. Não tivemos companhia na rotina de acordar, cumprir as tarefas da casa, trabalhar, reconhecer a dor do outro, chorar juntos. Quando vemos nossas lágrimas refletidas nos olhos daqueles que nos amam, o sofrimento fica menos pesado. Mas não tivemos esse espelho na pandemia. Não houve abraços em funerais, que não podiam reunir mais que dez pessoas. Muitos perderam vários entes queridos, às vezes em sequência: pai, irmão, mãe, sobrinho. Em toda parte há pessoas vivenciando o luto como um tsunami, afogadas em dor. E sozinhas.

Há muitos anos acompanho pessoas em cuidados paliativos. Há muitos anos encontro a morte quase diariamente, e esses encontros me trouxeram a certeza de que a vida toda vale a pena ser vivida.

Mas a morte durante uma pandemia é diferente. Seja ela causada pelo coronavírus ou por qualquer outra doença, é uma morte desamparada do ponto de vista dos afetos, sob o peso das regras do isolamento. Mesmo tendo sobrevivido, nesse tempo pandêmico envelhecemos sem testemunhas. Eu tive alguma companhia – meu filho esteve comigo e no dia a dia observamos o envelhecer um do outro –, mas muitas pessoas estiveram absolutamente sós.

Sabemos que era uma solidão protetora. Para proteger nossos idosos de uma doença imprevisível, que podia terminar em morte dolorosa, nós os afastamos de qualquer contato humano. Antes da pandemia, já havia muitos velhos em situação de isolamento, confinados em instituições onde, de tempos em tempos (ou nunca, em alguns casos) recebiam a visita de algum familiar. Ao longo de 2020 e 2021, esse cerco de solidão se apertou. E, ironicamente, nos atingiu também. Muitos de nós, isolados em nossas casas, experimentamos a mesma dor do confinamento que, para os nossos velhos, faz parte da rotina (mas que nem por isso dói menos). Esse cenário terrível me trouxe à mente uma antiga charada oriental que se assemelha ao mito grego da esfinge, que propunha um enigma aos viajantes e os ameaçava: "Decifra-me ou devoro-te!"

A charada é esta: sabemos que uma árvore caiu pelo barulho que ela faz. Mas, se não tiver ninguém ouvindo, a árvore caiu? Se não houver testemunhas da queda da árvore, ela ainda existe?

Ao longo da pandemia, muitos idosos foram árvores em quedas silenciosas. Não houve ninguém que assistisse à ruína de sua esperança, de seus amores, de suas histórias. Porque não tinham com quem conversar.

Pensemos nesses velhos quando estivermos organizando nossa bagagem para a viagem sem volta ao deserto. Dentre todas as coisas de que cuidaremos, cuidemos da companhia. Que, inclusive, tornará mais alegre o nosso "durante".

Estou viva e envelhecendo. Na pandemia, um evento que minha geração não conhecia, procurei não me expor a situações de risco desnecessárias, mas fui a hospitais, visitei pacientes em casa e na clínica. A cada uma dessas "aventuras", começava a contagem dos dias, a quarentena, sempre supondo que tivesse sido infectada. E, se tivesse sido, mudaria alguma coisa na forma como vivo os meus dias? Mudaria algo no meu "durante"? A resposta que hoje encontro dentro de mim é "não"; um "não" conquistado a cada dia que vivo como gostaria de viver.

O morrer pode ficar para amanhã, mas o viver, é melhor que seja hoje.

PARTE I
ACOLHER O ENVELHECIMENTO

"Talvez fosse mais sábio compreender esse processo participando das decisões em vez de apenas ser uma vítima do tempo."

O que é vida, afinal?

Eis o que considero uma boa definição: vida é uma condição sexualmente transmissível, incurável, progressiva, podendo levar a diversas incapacidades e, em 100% dos casos, termina em morte. Absolutamente todos nós morreremos. Antes que isso aconteça, porém, a maioria passará por um tempo de dependência, que na realidade brasileira, à luz dos nossos desdobramentos populacionais, pode significar idosos cuidando de idosos ou talvez idosos sem ter quem cuide deles – de nós, em última instância.

Começamos a envelhecer no instante em que nascemos. Envelhecemos um pouco a cada dia, de maneira lenta e inexorável. Como já disse, se tudo der certo, teremos uma vida longa e nos tornaremos velhos. Se tudo der certo, sobreviveremos à morte de nossos pais e entregaremos o bastão aos nossos filhos. E tudo bem que seja assim: aprendemos que essa é a ordem natural das coisas. O cineasta americano Woody Allen costumava afirmar que não tinha nada contra o envelhecimento, "já que ninguém tinha descoberto uma forma melhor de não morrer jovem".* Todos nós nos en-

---

* KARPF, Anne. *Como envelhecer*. Rio de Janeiro: Objetiva, 2014, p. 14.

contraremos no Saara em alguns anos. Quem não aparecer para esse encontro marcado terá tido o destino inglório de partir cedo, ainda que nossos progressos científicos e tecnológicos nos permitam sonhar com uma vida longa.

Segundo projeções do Fundo de População das Nações Unidas, braço da ONU que lida com questões de desenvolvimento populacional, uma em cada nove pessoas no mundo tem 60 anos ou mais. No Brasil, a população idosa cresceu 55% nos últimos dez anos, representando cerca de 12% do total do país.

A expectativa de vida de uma pessoa nascida no Brasil em 2019 era de pouco mais de 76 anos. É possível que a pandemia tenha afetado esse número. Nos Estados Unidos, por exemplo, a expectativa baixou mais de um ano por causa das mortes por covid-19. Tenhamos então em mente 75 anos de vida.

Do ponto de vista da preservação da saúde, dificilmente serão 75 anos esplendorosos.

Envelhecer e morrer não fazem parte da lista de melhores experiências que podemos viver em nosso país. Em 2010, a revista inglesa *The Economist* citou o Brasil como o terceiro pior país do mundo em qualidade de morte, à frente apenas de Uganda e da Índia.[*] A pesquisa foi refeita em 2015,[**] englobando mais países – 83 ao todo –, e dessa vez o Brasil ficou na 42ª posição; a novidade foi que Uganda passou à nossa frente.

---

[*] https://www.economist.com/news/2010/07/14/quality-of-death. Último acesso em 24 de julho de 2021.

[**] https://eiuperspectives.economist.com/healthcare/2015-quality-death-index. Último acesso em 24 de julho de 2021.

Herança europeia

Há muita discussão sobre os motivos pelos quais estamos sempre tão atrasados em relação ao patamar de qualidade de envelhecimento e morte alcançado por países da América do Norte e da Europa. Revisando o passado, entendo que boa parte das nossas elites é constituída, ainda hoje, de descendentes dos imigrantes europeus: portugueses, primeiramente, e depois oriundos de outros países. Para esses indivíduos, vir para o Brasil era um movimento de esperança. Em sua terra, passavam fome, sofriam perseguições, fugiam de guerras. Fugiam da morte. Vieram para cá em busca de oportunidades que não havia em seus países de origem, movidos pelo desejo de uma vida melhor. Atravessaram um oceano para se encantar com este lugar "quase" prometido, farto em beleza, horizontes e fertilidade; aqui não havia guerras, vulcões, fome. Aprenderam a reconstruir as expectativas de uma vida feliz. A morte ficou na Europa; aqui era o território da esperança.

Decrepitude não combina com tais sentimentos. Os imigrantes que chegaram ao Brasil não perdiam tempo pensando em ficar fracos e doentes. Tinham a expectativa de viver muito, e Deus proveria. Ainda hoje vejo muito dessa mentalidade naquelas frases que ouvimos, e até repetimos, à exaustão: "Vai dar tudo certo"; "Vai ficar tudo bem" – um otimismo por vezes sem bases racionais, quase um pensamento mágico.

Aqui esses imigrantes encontraram os povos indígenas, que pautavam seus costumes por um profundo respeito aos mais velhos. Nas aldeias, de modo geral, "o velho é a pessoa mais respeitada, sendo procurado por jovens, que buscam conselhos e inspiração para os rumos de suas vidas", escreveu a pesquisadora argentina radicada no Brasil Marina Marcela Herrero,[*] que atua no apoio ao movimento indígena desde 1983. Na conclusão de seu estudo, ela afirma que "os idosos e as idosas representam a sabedoria e suas figuras também são fundamentais na organização social e na sobrevivência da comunidade, já que são o arquivo vivo dos saberes ligados à medicina, às ervas, às músicas, às danças, aos rituais e às festas. Eles nunca representam um fardo a ser carregado pelos mais jovens [...] Formam parte indispensável do tecido social de seus povos".

Da mesma forma, os negros escravizados trouxeram da África um sólido respeito pelos mais velhos, que, de certa maneira, perdura em algum grau nos descendentes desse grupo.

Porém esses traços culturais de índios e negros não contagiaram as elites brancas de origem migratória, que continuaram navegando no modo "terra prometida onde tudo dá certo". A postura dos governantes durante a epidemia de covid-19 deixou bem claro que, no nosso país, os idosos podem ser considerados vidas desnecessárias. Não alimentam vaidades, não trazem orgulho, dão trabalho e gastos às famílias. Por que nos ocuparmos deles?

---

[*] HERRERO, Marina Marcela. "Um olhar sobre o envelhecer numa aldeia indígena". *mais60 – Estudos sobre Envelhecimento*, volume 29, número 72, dezembro de 2018. https://www.sescsp.org.br/files/artigo/ccc8e42f/0869/422c/bfe7/2ac171474ede.pdf. Último acesso em 24 de fevereiro de 2021.

Por muitas razões, inclusive porque logo, logo estaremos entre eles nas estatísticas.

Com os avanços da Revolução Industrial e seus desdobramentos educacionais, científicos e tecnológicos nos séculos seguintes, ficaram evidentes dois efeitos causados pelo desenvolvimento econômico sobre a população:

1) redução das taxas de mortalidade em geral, possibilitando aumento da expectativa de vida, e da mortalidade infantil em particular;

2) depois de certo tempo do início da queda da mortalidade, redução também das taxas de fecundidade, provocando diminuição no tamanho das famílias.

Assim, ao longo dos últimos séculos vimos a taxa de natalidade encolher no Brasil até chegar ao número mais recente, 1,74 filho por mulher. Com a queda da natalidade, o ritmo de crescimento populacional desacelera e tende à estabilidade. Em 2050, a pirâmide etária no Brasil dificilmente será uma pirâmide; estará mais para um retângulo, com cerca de 64 milhões de pessoas acima dos 60 anos. Lá em 2050, que hoje parece longínquo mas chegará num piscar de olhos, a população idosa corresponderá a 30% do total do país.

Como será nossa velhice, se jamais cultivamos no Brasil o respeito às fragilidades do envelhecimento?

Há alguns anos, reformei meu apartamento e, já atenta à chegada dos 50 anos, pedi ao arquiteto responsável que fizesse um boxe amplo, onde eu pudesse entrar com uma cadeira de rodas; a ideia era adaptar a casa à minha velhice que um dia chegaria. O arquiteto protestou. "Pare com essas ideias negativas, onde já se viu falar em cadeira de rodas?"

É o mesmo pensamento mágico que norteou os imigrantes, reproduzido no discurso de um arquiteto do século XXI. Não arredei da minha decisão. Ironicamente, algum tempo depois quebrei o pé, precisei passar por uma cirurgia e, por sorte, o boxe era grande o suficiente para acomodar a cadeira de rodas que tive que usar.

Quantos de nós pensamos em nos preparar para o amanhã? Quantos de nós, à semelhança dos imigrantes que constituíram parte significativa da nossa identidade cultural, só pensamos no futuro como um tempo de bonança, em que tudo estará melhor, nunca pior?

A resposta do arquiteto a meu pequeno, quase singelo, pedido doméstico revela o traço tão nosso, tão brasileiro, de fugir da morte e, antes dela, da fragilidade, da dependência, do envelhecimento. Aqueles imigrantes não permitiam que os pensamentos sobre o morrer invadissem seu cotidiano, justo naquele momento em que tinham recuperado a esperança. Penso que está aí, nas raízes da nossa brasilidade, o que nos tolhe de conversar sobre a morte. Os que permaneceram em seu país de origem souberam que a morte chega, mas a vida prevalece. Vieram guerras, recessão, fome, mas também a reconstrução, o renascimento e a confiança na regeneração do dia a dia. Os que aqui chegaram estavam por demais concentrados em deixar um legado para seus descendentes: mantiveram sempre o olhar no horizonte e pouco se permitiram pensar no desfecho da vida humana.

Não existia futuro difícil no Brasil.

Somos fruto dessa cultura que venera o amanhã como um tempo melhor.

O que nosso corpo ainda pode oferecer

É claro que o jeitinho brasileiro de sorrir e driblar as adversidades pensando no "melhor" que nos espera pode nos ajudar em muitas situações. Mas negar a morte e fazer de conta que seremos sempre jovens não nos fará chegar ao deserto com a bagagem adequada.

No início do século XX, por volta de 1900, longevidade era passar dos 40 anos. Hoje, paradoxalmente, muitas vidas só parecem encontrar seu sentido *a partir dos 40 anos*. Então este é o momento em que interrompo a nossa conversa e faço uma pergunta:

O que você vai ser quando crescer? (Ou talvez caiba melhor aqui: O que você vai fazer quando sua vida de fato começar?)

Muita gente deve ter ouvido a mesma pergunta quando criança. Para mim, ela veio de um médico que cuidava da minha avó, o doutor Aranha. Minha resposta foi certeira: "Quero ser médica." Fui a menina que, aos 7 anos, tinha em casa um hospital de bonecas, a quem ministrava remédios para que jamais sentissem dor, movida pelo desejo de apagar a dor da avó querida.

E eis que de fato me tornei médica, sabe-se lá por quais desígnios do Universo. Mas entendo que responder a essa pergunta não significa que aceitamos ser para sempre o que respondemos, como uma sentença gravada em pedra. Para sempre só seremos nós mesmos, sem títulos ou cargos, profissões ou papéis sociais. Só agora sei o que eu não soube por tanto tempo: que quando eu crescesse eu seria *velha*. Eu e todo mundo.

Talvez você, como eu, já esteja vislumbrando o processo de envelhecimento. Talvez já não sinta a mesma vitalidade, talvez não olhe com animação para uma longa escadaria, pensando mais no esforço para subir do que no que encontrará quando chegar no topo ("Será que eu encaro? Vai valer a pena?"). Talvez tenha algumas dores novas. Talvez esteja na menopausa. Talvez não sinta tanto tesão. Talvez perceba linhas mais marcadas no rosto quando se olha no espelho. Talvez já tenha mais fios de cabelo brancos do que da cor original. Talvez tenha menos cabelo. Talvez perceba no próprio corpo os primeiros sinais da fragilidade que um dia se instalará.

Não faz muito tempo, tirei alguns dias de férias e fui para uma região montanhosa de grande beleza. Um morador local me indicou uma trilha íngreme, difícil, mas que recompensava os vitoriosos com uma vista de tirar o fôlego. Bem, perdi o fôlego um pouco antes de chegar à tal vista maravilhosa e tive que parar para descansar. No ponto onde estava, olhei para a frente, questionando minha capacidade de continuar. Então virei para trás e me surpreendi com o que tinha conseguido avançar até ali. O que mais me inquietou, porém, foi pensar na volta. Eu teria de conciliar a fome, que começava a apertar, com a paciência e a atenção a cada passo da descida. Tem um ditado que diz que para descer todo santo ajuda, mas na verdade descobri que temos ajuda porque, na descida, o diabo empurra.

Essa dificuldade despertou em mim uma reflexão muito lúcida: tenha atenção e foco a cada passo ladeira abaixo, em qualquer situação. Declínio profissional, financeiro, de fôlego, de força muscular, de paciência. Tudo que se apresentar na nossa vida com perspectiva de declínio deve ser encarado com mais cuidado e presença. Na montanha, se eu descesse rápido, poderia tropeçar, escorregar e me machucar. Caminhar sem cautela pode causar problemas.

Consegui descer com a calma e o fôlego de quem aprende a lidar com as próprias limitações. Lembrei que alguns anos antes havia enfrentado uma trilha bem intensa no Atacama e me alegrei por ter feito isso quando era mais nova. Fiquei feliz por ter memórias de um desempenho mais ágil em um passado não tão remoto e aliviada por ter aproveitado tudo que eu podia até ali. Mais: encontrei motivos para sorrir por realizar o que meu corpo permite que eu realize agora. Essa constatação me trouxe novos estímulos para continuar me empenhando na prática da atividade física e na meditação: faço tudo que estiver ao meu alcance para manter minha atenção no momento presente, lidar com a ansiedade e descobrir tudo de maravilhoso que meu corpo ainda pode me oferecer. Estou envelhecendo com consciência, sem negacionismo.

E você? Diante da possibilidade real de envelhecer, como se sente?

A maioria das pessoas parece não estar confortável com a ideia, talvez porque envelhecer nos aproxime da morte e, mesmo nos momentos mais difíceis, de alguma forma ainda gostemos da vida. No entanto, a realidade do envelhecimento está ao nosso lado a cada dia que passa. Talvez fosse mais sábio compreender esse processo, que ocorre independentemente da nossa vontade, *participando das decisões em vez de apenas ser uma vítima do tempo.*

O mérito (ou a responsabilidade), bem como a qualidade da vida que teremos aos 80 anos, dependerá exclusivamente das nossas escolhas; de comportamentos internos e externos a cada momento da nossa vida.

Cegos conduzindo cegos

Nos idos de 1987, o médico gerontólogo Alexandre Kalache, que já dirigiu o programa de Envelhecimento e Curso de Vida da Organização Mundial da Saúde (OMS), anunciou em um artigo as novidades daquela época, que valeriam como uma profecia sobre os tempos futuros. "O país está em franco envelhecimento [...]", indicou, recorrendo às características demográficas que mencionei há pouco para justificar sua afirmação. Ele nos lembra que até a década de 1950, ou mesmo 1960, éramos uma população bastante jovem, com altas taxas de fertilidade e taxas de mortalidade que apenas começavam a diminuir. Foi nos anos 1970 que tudo começou a mudar. "Para o país, como um todo, as taxas de fertilidade diminuíram em cerca de 30% entre 1970 e 1980, diminuição esta que se verificou em todas as regiões, tanto nas zonas rurais quanto nas urbanas."[*]

O envelhecimento da população é consequência natural dos avanços nos cuidados com a saúde; para muitos de nós, a velhice será o momento em que padeceremos de doenças crônicas, degenerativas, algumas delas talvez

---

[*] KALACHE, A. "Envelhecimento populacional no Brasil: Uma realidade nova". *Cadernos de Saúde Pública*, 3 (3): 217-220, setembro de 1987.

incapacitantes. Porém há uma mudança importante: adoeceremos, mas não morreremos mais tão cedo. Kalache fez à época um alerta importante sobre o Brasil. Em termos práticos, o processo de envelhecimento que se verifica em países como o nosso – marcados pela desigualdade e pelo acesso precário ao atendimento médico em muitas regiões – é ainda mais prejudicado por dois fatores: o crescimento de males crônicos (como as doenças cardiovasculares e o câncer) entre as causas de mortalidade e a permanência de mortes por doenças infecciosas, parasitárias e decorrentes da desnutrição, rastro do subdesenvolvimento que continua entre nós.

Kalache também sinalizou que, desde a década de 1950, a maioria dos idosos vive em países em desenvolvimento. Essa ficha, porém, ainda não caiu para muitos, que continuam associando velhice aos países mais desenvolvidos da Europa ou da América do Norte. Nos vinte anos entre 1980 e 2000, calcula-se que a população da América Latina tenha aumentado 120% (de 363,7 para 803,6 milhões); no entanto, o crescimento da população acima de 60 anos ficou perto de 236% (de 23,3 para 78,2 milhões), ou seja, quase o dobro do percentual de aumento da população como um todo. A longo prazo, as perspectivas são ainda mais impressionantes.

Os alertas do gerontólogo Kalache estão aí há 34 anos, tempo suficiente para que indivíduos e sociedade se preparassem para enfrentar suas consequências. Mas não nos preparamos, não ainda – e isso fica evidente para uma mulher que envelhece e coincidentemente é geriatra, como eu. O descaso não nos poupará de lidar com o futuro que se avizinha: teremos que enfrentar o nosso próprio envelhecimento, o envelhecimento de pessoas à nossa volta e um terceiro elemento, no qual talvez você nunca tenha pensado: a falta de conhecimento dos profissionais de saúde, incluindo médicos, sobre esse assunto.

O mundo da pessoa que envelhece guarda mistérios, a começar pelas mudanças biológicas. Como cuidar de múltiplas doenças simultâneas? Como harmonizar os relacionamentos no núcleo familiar, que se vê às voltas com a progressiva perda de autonomia (a capacidade de tomar decisões) e independência (a capacidade de executar as decisões tomadas) das pessoas idosas? Essa é a matéria-prima de todo geriatra e gerontólogo. Geriatra é o médico que sabe cuidar das doenças que estão presentes com maior frequência no idoso; gerontologia é a área de conhecimento especializada no estudo do envelhecimento saudável. Embora ambas sejam formações reconhecidas, ainda são um campo relativamente nebuloso dentro da medicina. Muitos especialistas desconhecem a fisiologia do envelhecimento natural, fruto apenas do tempo de "uso" dos nossos órgãos e não relacionado a problemas causados por doenças específicas.

Para piorar, embora os idosos sejam os usuários majoritários de muitos medicamentos, essa população está mal representada nos ensaios clínicos. Só para se ter uma ideia, cerca de um terço desses estudos simplesmente exclui os idosos.

Os efeitos adversos dessa conduta podem ser graves. Médicos especialistas e generalistas ainda são treinados em terapêuticas baseadas apenas em resultados obtidos a partir de pesquisas com públicos mais jovens. Somado a isso, como eu disse, poucos profissionais recebem formação adequada a respeito do processo fisiológico do envelhecimento e de suas consequências naturais sobre os órgãos vitais, como rins e fígado, e dos efeitos do tempo sobre os sistemas nervoso, cardiovascular, imunológico e hormonal. Tragédia anunciada: somos cegos conduzindo cegos.

Precisaremos de toda informação disponível.

Viver em plenitude

Os avanços da ciência e da medicina têm papel indiscutível no aumento da nossa expectativa de vida. Mas existe o lado B de tudo isso: pessoas menos comprometidas com a saúde passaram a acreditar que temos fórmulas mágicas para apagar décadas de escolhas erradas que fizeram em relação ao corpo. Como se tudo pudesse ser resolvido por remédios de última geração, vitaminas e soros milagrosos, plásticas e tratamentos estéticos caros. Minha observação é que essas medidas oferecem mais riscos do que benefícios.

Bem, se você é uma das pessoas que pensam assim, aqui começo a derrubar as suas ilusões: só envelhece bem quem viveu em plenitude cada dia da sua vida.

E o que isso significa?

Plenitude não significa viver apenas momentos felizes, o que de fato nem é possível. Significa viver intensamente todo o nosso tempo de vida, com seus altos e baixos, conscientes da bênção que é estar aqui e agora.

Certa vez, tive uma paciente que havia trabalhado como lavadeira por toda a vida. E assim, lavando roupa para fora, tinha criado nove filhos. Do último ela mesma fez o parto, sozinha em casa apenas com as outras crianças. Com a sabedoria dos antigos, encontrou uma tesoura, aqueceu-a nas brasas do fogão a lenha e usou a lâmina quente para cortar o cordão umbilical do recém-nascido. Deu de mamar, acomodou-o no berço mal-arranjado que tinha sido de todos os outros filhos e foi fazer o almoço. Essa mulher nunca teve escolha: lavar roupas era o que precisava fazer para cumprir seu grande objetivo, que era criar os filhos.

Penso que essa pessoa não ficou devendo nada à vida. O viver em plenitude é individual. A minha plenitude será diferente da sua, que por sua vez será diferente da de dona Maria Lavadeira, como era conhecida.

Você é do tipo que encara o que a vida lhe propõe e faz o melhor que pode?

Reconheço que nem sempre é simples. Aliás, raramente é simples. Há vidas que entram em compasso de espera; uma mulher que procura um filho desaparecido, por exemplo, leva uma vida muito sofrida, na eterna expectativa de que algo aconteça para tudo (voltar a) fazer sentido. Pessoas com histórias assim passam a vida na sala de espera da grande viagem do viver. A viagem é a espera. A maioria de nós, porém, tem alguma escolha, mesmo que não seja fácil e exija sacrifícios.

Enredados nessas escolhas, muitas vezes entramos em outro labirinto: o da angústia de perseguir metas impossíveis. Talvez a mais significativa delas seja o controle das emoções, que nos leva a treinamentos mentais exaustivos embasados por afirmações positivas, ao uso abusivo e desnecessário de antidepressivos e remédios para ansiedade. Essas medidas não trazem conforto, apenas mais sofrimento. A ditadura da felicidade ou da estabilidade emocional revela-se uma escravidão permanente que nos priva de viver tudo que a vida nos oferece – o que pode ser bom, mas, em geral, não é.

PARTE II

CUIDAR DO CORPO QUE HABITAMOS E DA MENTE QUE NOS GUIA

"O aprendizado é uma chuva de rejuvenescimento para o cérebro."

Antes de embarcarmos para nossa viagem ao Saara, é bom estarmos cientes de alguns pontos:

- Viveremos mais, porém não há como isso acontecer sem que envelheçamos;
- Envelhecer traz perdas funcionais e favorece o surgimento de três grandes grupos de doenças que tornarão essa etapa da vida mais desafiadora: as cardiovasculares, o câncer e as demências;
- Esses males podem nos tornar pessoas dependentes por períodos que podem se estender por anos;
- Se tivermos a chance de fazer parte da população mais idosa do Brasil, enfrentaremos outros obstáculos além dos físicos e mentais, como um sistema de saúde carente de recursos e o despreparo dos profissionais da área para tratar as moléstias dos velhos.

Diante desse quadro, que não é dos mais otimistas, trago uma reflexão que pode nos ajudar a amenizá-lo um pouco: Como fazer do nosso corpo um lugar habitável até o último dia de nossa vida?

Vigiar o que vai no prato

Podemos começar cuidando da alimentação.

Aquilo que comemos dá origem ao que somos. Então, se nos alimentamos de porcaria, nosso corpo produzirá neurotransmissores de má qualidade. Sabe quando você desconfia de uma marca de remédio que parece não fazer o efeito desejado? Quando isso ocorre, em geral é porque a matéria-prima utilizada não é de boa qualidade. Se a nossa matéria-prima é a comida, a conclusão é lógica. Hipócrates nos ensinou isso na raiz da medicina: façamos do alimento a nossa medicina, da medicina o nosso alimento. A boa saúde só pode ser alcançada em um organismo que se propõe a enfrentar o desafio de curar-se, porque não é fácil reconstruir tecidos. Quando comemos mal, exagerando nos alimentos processados, nas carnes gordurosas e nos açúcares refinados, oferecemos ao nosso corpo uma matéria-prima de péssima qualidade; e é com esse material que ele terá que se virar para recompor os tecidos que lesionamos o tempo inteiro com nossos maus hábitos. Nenhum mistério nisso.

"Mas, doutora Ana Claudia, comida integral é muito sem graça", me disse certa vez um paciente no consultório de geriatria. Respondi que então tudo bem, que ele continuasse se alimentando mal e se entendesse com as consequências depois. Quando estivermos no Saara, teremos que nos responsabilizar por absolutamente tudo que fizemos até aqui. Quem não se comprometer com a excelência da própria alimentação terá problemas lá na frente.

Claro que existem uns poucos mortais que só comem porcaria, fumam, bebem, têm péssimos hábitos e ainda assim são premiados com um corpo incrível e uma saúde esplêndida. Digo, de brincadeira, que gente assim é feita de tungstênio, não de carne e osso, e sei, por experiência, que essas pessoas são raras. Melhor não contar com a sorte.

Mas não basta se alimentar bem.

Em nosso percurso de cuidados com o corpo, devemos lembrar que temos quatro membros, que não foram projetados para ficar parados. Precisamos de movimento.

"Ah, mas eu não gosto de atividade física", reclamam muitos dos que me procuram. Bom, quando se chega à velhice com as articulações rígidas, o coração incapaz de cumprir sua função e um fígado que não tolera remédios mais potentes, o processo de cura de qualquer doença é muito mais trabalhoso. Exercício físico é absolutamente imprescindível para quem se propõe a envelhecer bem.

Mas atenção: isso tudo pode transmitir a ideia perigosa de que, se tivermos uma alimentação equilibrada e praticarmos atividade física, nada de ruim nos acontecerá. Não à toa, esta é outra pergunta que ouço sempre:

"Ah, doutora Ana, quer dizer que se eu fizer exercício e comer direito não ficarei doente?"

Ficará.

Precisamos fazer o que precisa ser feito pelo motivo certo, e o motivo certo é viver bem dentro do nosso corpo até o último instante possível. Já atendi muitos pacientes que chegam ao consultório carregando até uma certa mágoa. Anunciam-se como pessoas desde sempre preocupadas com alimentação e comprometidas com exercícios físicos e, ainda assim, tiveram câncer ou outra doença grave. Elas perguntam como isso pôde acontecer. Muitas vezes, essas pessoas já tratavam o câncer havia dois, três anos, em certos casos, carcinomas avassaladores. Então eu explico que, se sobreviveram, sem dúvida foi graças à qualidade da vida que tiveram até ali, o que lhes valeu uma espécie de "poupança de saúde" para dias em que a saúde faltasse.

As doenças também aparecem para as pessoas que se cuidam. Isso não é castigo. Não é para despertar mágoa e não anula o fato de que fazer o melhor para o nosso corpo é a conduta certa. Não cuidamos do nosso corpo para viver eternamente, porque ninguém viverá eternamente. Não o fazemos para garantir saúde, porque todos sabemos que podemos adoecer. Quem faz o bem para se dar bem já errou. Se há segundas intenções em qualquer atitude, perde-se o mérito de fazer direito.

Quando estamos comprometidos com a boa alimentação e com a atividade física constante e adequada, temos condição de superar – ou no mínimo de combater o bom combate – qualquer doença que possa nos visitar ao longo da vida.

Vale lembrar que muitas vezes há uma relação entre o que comemos e as doenças cardiovasculares, categoria que inclui os infartos e os acidentes vasculares cerebrais (os AVCs), que correspondem à causa de morte mais frequente no Brasil. Respondem por 27,65% dos óbitos, cerca de 400 mil pessoas por ano. O cenário é agravado pela falta de controle dos fatores que podem ocasionar essas doenças, como o nível de colesterol no sangue e a hipertensão arterial.

A segunda maior causa de morte são os cânceres, que tiram a vida de 260 mil brasileiros por ano, conforme estatísticas recentes.

Cânceres e doenças cardiovasculares podem desencadear quadros de grande sofrimento, mas, exceto nos casos de derrames incapacitantes, quase sempre permitem que o paciente interaja com o tratamento e tome decisões com lucidez. Aqui neste livro quero me deter em outra gama de doenças: aquelas que desconectam a pessoa da realidade. Acho importante me debruçar um pouco mais sobre elas por acreditar que recebem menos atenção do que merecem e porque *há decisões e providências que podemos tomar agora para mitigá-las.*

Me refiro às demências.

Fortalecer o cérebro

Mesmo que nosso corpo se mantenha razoavelmente são, é possível que nossa mente se veja tomada por uma moléstia cognitiva. Demência é o nome que se dá a uma síndrome causada por várias doenças de curso lento e progressivo que comprometem a memória, o pensamento, o raciocínio, a orientação, a compreensão, a capacidade de aprendizagem, a linguagem, o julgamento, o comportamento e a capacidade de executar atividades cotidianas. Dependendo da causa, o tempo entre o diagnóstico da demência e a fase de maior fragilidade pode se estender de dois até mais de dez anos. Acomete principalmente pessoas idosas, mas estima-se que algo entre 2% e 10% de todos os casos comecem antes dos 65 anos. Após essa idade, a prevalência – isto é, o número de indivíduos com a doença em uma determinada população – dobra a cada cinco anos. A demência é uma das principais causas de dependência e incapacidade na velhice.

Segundo o relatório *World Alzheimer* de 2016, da Alzheimer's Disease International, é possível que em 2050 cheguemos a 131,5 milhões de pessoas no mundo acometidas pelo Alzheimer – talvez a mais conhecida doença cognitiva. A cada ano, quase 10 milhões de indivíduos recebem esse diagnóstico, um a cada três segundos.

O Alzheimer não tem cura, e o maior fator de risco é a idade avançada. Se você quiser chegar aos 90 anos, saiba que a probabilidade de desenvolver a doença é como jogar par ou ímpar. Os riscos aumentam para quem tem história familiar; se tiver ocorrido precocemente, as chances de a doença se apresentar mais cedo são maiores para os demais familiares. O mais desafiador é que o Alzheimer nos tira a capacidade de decidir, o dom mais valioso do ser humano.

Então o jeito é ficar de braços cruzados torcendo pelo par ou ímpar? Não!

É possível fortalecer o cérebro para driblar a doença, de tal modo que, mesmo que venhamos a desenvolver Alzheimer, nossos neurônios resolverão o problema, ou parte dele, sem demandar grande esforço da nossa parte; talvez sem nem percebermos o que está acontecendo. Quando obtemos sucesso nessa empreitada, o impacto da doença na nossa vida diminui bastante. Talvez ainda necessitemos de uma agenda para garantir o cumprimento dos compromissos. Talvez devamos reduzir nossa carga de responsabilidades, evitando dirigir, por exemplo, para não pôr em perigo a vida de outras pessoas. Talvez seja bom aceitar companhia na hora de sair para evitar desorientação na rua; sabemos que, sob o Alzheimer, mesmo uma pessoa que vai todos os dias ao mesmo mercado pode entrar naquele ambiente tão familiar e, do nada, sentir-se no Japão – uma experiência assustadora.

No entanto, se e quando tudo isso acontecer, é possível que a doença já estivesse instalada no seu cérebro há muito tempo, mas ele desse conta de lidar com ela.

O segredo para fortalecer o cérebro é *aprender*. A idade não pode nem deve ser desculpa: temos condições de aprender em qualquer fase da vida. Sabe aquela frase que vivemos repetindo para os velhos, em tom de irritação: "Como você é teimoso!"? Um dia, se tudo correr bem, alguém nos dirá isso também. Pois então nos apropriemos da teimosia, um mérito do envelhecimento, e usemos essa característica para teimar em aprender. Não deixemos que nos digam que é impossível; somos capazes, sim.

O aprendizado é uma chuva de rejuvenescimento para o cérebro. Aprender nos presenteia com a possibilidade de criar conexões mais numerosas entre os neurônios, tornando o pensamento mais potente. Certa vez, quando disse isso a uma paciente, ela respondeu: "Ah, doutora, mas eu já faço tricô e crochê." Bem, não vale o que já sabemos; tricô e crochê, só se for para aprender um ponto novo, intricado. "Ah, mas eu já toco piano", me disse outro. Só vale se mudar de estilo – um pianista clássico, por exemplo, que envereda pela improvisação do jazz.

O melhor recurso para desenvolver conexões cerebrais é a música. Quando aprendemos a tocar um instrumento musical, nosso cérebro pratica outra linguagem, associada à escuta. A música "ocupa" uma região cerebral que o Alzheimer não alcança e pode se tornar a nossa conexão com o mundo caso tenhamos a doença. Ela nos coloca novamente on-line com as pessoas ao nosso redor.

Sei disso porque estudei esses mecanismos, mas também porque testemunhei uma história maravilhosa.

Dona J. esteve internada no hospice, unidade de cuidados paliativos onde eu trabalhava, durante várias semanas. Tinha demência avançada e fazia mais de ano que se mantinha incomunicável, incapaz de encadear cinco palavras com sentido – um dos indicadores clássicos da doença. Os filhos estavam sempre por perto e me contavam que tinha sido uma mãe batalhadora e amorosa.

Tenho o hábito de conversar com pacientes com demência, mesmo que a possibilidade de que me entendam seja remota. Nas visitas a dona J. não era diferente. Dizia bom-dia, pedia licença para afastar a camisola ou abrir o pijama para examiná-la e fazia comentários sobre sua saúde. "Dona J., seu coração está tranquilo, a respiração também. Não vai me contar nenhum segredo hoje?"

Dona J. seguia mergulhada em silêncio.

Uma ocasião, achei que ela fosse falecer e reuni os filhos, alertando-os de que o fim poderia estar perto. Entrei para passar visita, dei o bom-dia habitual... e dona J. me olhou. Um olhar apenas, mas eu soube: ela estava presente. Chamei os filhos para perto da cama.

"Gente, ela está on-line. Não podemos desperdiçar este momento. Tem alguma música de que ela gostava muito?"

Os filhos se alvoroçaram. Tinha uma música, sim, uma canção sertaneja interpretada por uma dupla de sucesso. Peguei o celular, abri o YouTube, pus a música para tocar.

Dona J. começou a cantar. Sabia de cor, verso por verso. Sustentava o olhar dos filhos, presente no presente, cantando com voz boa e vigorosa. Os filhos se emocionaram, cantando juntos. Um deles pôs a mão sobre a dela, outro imitou-o e, como eram muitos, logo havia uma pilha de mãos cobrindo a delicada mão de dona J. Então ela disse:

"Que esta corrente nunca se rompa."

Seis palavras. Ela estava ali. Faleceu passados alguns dias, mas deixou para os filhos aquela última canção, um olhar atento e um pedido final.

A música fez a conexão dela com aquele momento mágico. E esse está longe de ser o único benefício da música.

Assim que a pandemia passar e for seguro, sugiro que você entre para um grupo de canto coral. Cantar protege o aparelho fonador e algum dia, no Saara, pode nos poupar da necessidade de uma sonda de alimentação que entra pelo nariz ou de uma gastrostomia, que é a inserção da mesma sonda por um orifício na altura do estômago. Isso porque pessoas que exercitam a voz e a utilizam no canto conseguem manter a firmeza da musculatura na região da garganta quando o envelhecimento traz os perigosos engasgos. "Ah, doutora, mas eu não tenho talento para cantar." Pois eu digo: não me venha com essa. Cantar é algo que se aprende – e até mesmo uma médica como eu, que sempre se achou despossuída de dotes vocais, se atreveu a procurar um professor de música e está ensaiando para um dia cantar para os pacientes demenciados. Por eles, na tentativa de chegar até eles, mas também por mim.

Outra atividade extremamente protetora do cérebro é a

meditação. Conheço a ladainha: "Não consigo"; "É chato"; "Nunca fiz". Não deixe esse preconceito atrapalhar você. Procure um instrutor, baixe um aplicativo, acomode-se num canto silencioso da casa e apenas tente. Segundo alguns estudos sérios, pessoas que meditam por meia hora diariamente, no mínimo cinco vezes por semana, têm o córtex mais espesso – um jeito técnico de dizer que têm neurônios mais "bombados".

"Sempre" e "nunca" são advérbios que não cabem mais à medida que envelhecemos. Se nunca fez, faça agora. Se sempre fez de um jeito, passe a fazer de outro. Será preciso fazer diferente.

Além de todos os benefícios, aprender música, canto e meditação fará de nós pessoas mais capazes de tomar decisões e mais serenas emocionalmente. Isso será de grande valia em nosso tempo no deserto, quando a vida irá nos impor perdas de todos os tipos.

Abraçar a tristeza

Somos reservatórios de emoções, e eu poderia escrever tratados sobre como cada uma delas intervirá no nosso envelhecimento. Mas escolhi uma, que nos cutucará mais vezes na velhice, porém também nos protegerá em algumas situações. Falo da tristeza. Vou explicar por que você não deve desprezá-la.

Para começar, porque não adianta: a tristeza chega na nossa vida sem pedir licença. Nem tente impedir. Ela simplesmente vem.

O psicólogo americano Paul Ekman, uma sumidade no estudo das emoções, definiu seis delas como básicas no ser humano: alegria, tristeza, medo, raiva, surpresa e nojo. Destas, *a tristeza é a única que promove a conexão entre as pessoas*. O bom envelhecimento, como sabemos, é interdependente e pede a construção de pontes entre indivíduos. A tristeza é uma excelente engenheira.

Se dentro de nós existir algum espaço de amor, haverá também terreno para a tristeza. Já viemos "de fábrica" com um chip que nos vincula a pessoas, realidades e sonhos. Quando nos entregamos de verdade a esses vínculos e então, por algum motivo, somos obrigados a nos desapegar deles, surge a tristeza.

"Eu vou escolher não ser/ficar triste", pensamos às vezes. Bobagem. Primeiro, porque, como escrevi há pouco, não conseguimos evitar. Segundo, porque, ainda que conseguíssemos, repudiar a tristeza seria abrir mão, talvez, da parte mais corajosa da nossa humanidade. A tristeza é um sentimento muito necessário para a nossa existência. Ela integra a nossa essência como seres humanos. Faz parte do nosso dia a dia e tem um papel vital na estruturação, ou na reconstrução, do nosso mundo interno.

Todos nós nos entristecemos quando esse mundo interno, ou parte dele, é destruído. Dentro da nossa percepção do que são integridade e segurança, criamos parâmetros muito claros que trazem equilíbrio ao nosso "mundo presumido", um termo que se usa muito na psicologia. Quando perdemos algo que é importante para nós, esse mundo presumido desmorona. E as ruínas são preenchidas pela tristeza. No início pode haver revolta, uma raiva muito grande por algo que aconteceu, mas, depois que essa raiva passar, virá a tristeza. Ela nos fará companhia até que reencontremos o equilíbrio.

Muitas vezes a tristeza está ligada ao fato de que alguém que amamos deixou de existir fisicamente. Se essa pessoa não está mais entre nós, é como se, de alguma maneira, nosso amor por ela perdesse o sentido. A verdade, porém, é que a tristeza nos leva para a essência desse afeto. Só sentirá tristeza quem amou. Às vezes amamos a pessoa errada, o projeto errado, o trabalho errado, a realidade errada, mas amamos! E quem experimenta o amor experimenta também a tristeza.

A tristeza nos revela toda a potência da nossa coragem. Para amar é preciso ser corajoso, pois o risco de perder está à espreita. Quando se ama, há a entrega completa. E, quando a entrega é completa, só o fato de termos vivido um tempo com a presença física daquela pessoa já é o bastante.

O budismo nos ensina sobre o desapego porque as coisas são impermanentes. Entretanto, se praticarmos o desapego orientados somente pelo medo de nos apegarmos, não amaremos; ficaremos no raso da vida. Só podemos nos desapegar daquilo a que nos entregamos.

Se você nunca ficou triste, sinto muito, mas não viveu. Só pode dizer que viveu quem amou e ficou triste. São experiências complementares.

Li certa vez um breve livro do prosador e poeta libanês Gibran Khalil Gibran (1883-1931) e nunca mais o esqueci. Chamava-se *O profeta* e nele, indagado sobre o que é a tristeza, o poeta faz a mais linda definição desse sentimento, pareando-o com a alegria. Aqui está:

Então, uma mulher disse: "Fala-nos da alegria e da
tristeza." E ele respondeu: "A vossa alegria é vossa tristeza
desmascarada. E o mesmo poço que dá nascimento
a vosso riso foi muitas vezes preenchido com vossas
lágrimas. E como poderia não ser assim? Quanto mais
profundamente a tristeza cavar em vosso ser, tanto mais
alegria podereis conter. Não é a taça em que verteis vosso
vinho a mesma que foi queimada no forno do oleiro? E
não é a lira que acaricia vossa alma a própria madeira
que foi entalhada à faca? Quando estiverdes alegres,
olhai no fundo de vosso coração, e achareis que o que vos
deu tristeza é aquilo mesmo que vos está dando alegria.

E quando estiverdes tristes, olhai novamente no vosso
coração e vereis que, na verdade, estais chorando por
aquilo mesmo que constituiu vosso deleite. Alguns dentre
vós dizeis: 'a alegria é maior que a tristeza', e outros dizem:
'não, a tristeza é maior.' Eu, porém, vos digo que elas são
inseparáveis.

Vêm sempre juntas; e quando uma está sentada à
vossa mesa, lembrai-vos de que a outra dorme em vossa
cama. Em verdade, estais suspensos como os pratos
de uma balança entre vossa tristeza e vossa alegria.
É somente quando estais vazios que estais em equilíbrio.
[...]"

A cada vez que releio esses versos, me lembro de que tristeza e alegria são parceiras. Quanto maior o espaço que a tristeza cavar dentro de nós, maior o espaço que a alegria poderá ocupar. Por isso, nunca diga não a ela. Sente-se com a tristeza e permita que ela revele todos os segredos do amor. Ela vai explicar por que está ali. A tristeza nos ajuda a entender o sentido da nossa vida, algo que ganhará outro significado no processo de envelhecer, como veremos adiante. Deixe que ela conte, em detalhes minuciosos, quão incrível foi viver tudo que você viveu com aquilo ou com aquela pessoa que agora perdeu.

A tristeza nunca vai embora para sempre; ela dá uma passeada nas redondezas e avisa: "Até breve! Vamos nos encontrar de novo porque você é uma pessoa corajosa, que sabe se entregar ao amor e conhece o risco da perda."

Talvez você tenha achado tudo que escrevi até aqui um pouco poético, mas a tristeza não é para amadores; é para os fortes.

Antes de mudar de assunto, quero deixar um alerta. A tristeza é uma emoção humana natural, que nos constrói como pessoas. Muito diferente da depressão, que pode ser definida como um conjunto de sintomas que ameaça a integridade do ser humano. Se houver desconfiança de que a sua "tristeza" esteja impedindo você de reconstruir o sentido da sua vida, procure ajuda profissional.

Aprender a dar trabalho

Por mais zelosamente que cuidemos do nosso corpo, por mais limpa e nutritiva que seja a nossa alimentação, por mais que cultivemos a saúde da mente e da alma, precisaremos, no processo de envelhecimento, aprender a dar trabalho. "Eu não quero incomodar ninguém quando ficar velho!", muita gente me diz.

Bem, lamento informar que, segundo estatísticas brasileiras,[*] de cada dez pessoas, nove vão dar muito trabalho e uma terá uma morte inesperada. Ou seja, o único jeito de não dar trabalho é ter uma morte rápida. E isso não se escolhe – não quando se tem consciência da dádiva de cada momento vivido.

Inevitavelmente daremos trabalho a alguém em algum momento. Aliás, damos trabalho mesmo quando não estamos morrendo. Damos trabalho à faxineira do escritório quando deixamos cair farelos de biscoito no chão. Damos trabalho aos nossos pais e cuidadores desde muito cedo, quando aprendemos a andar, a comer com talheres, a usar o banheiro. Não somos seres autônomos e independentes. Mesmo quando abrimos a torneira de casa e dela jorra água, nossa mente não consegue calcular o trabalho que demos às pessoas que se esforçaram para que algo tão simples pudesse acontecer.

"Mas eu pago por isso."

Paga, claro; no entanto, pagamos pelo serviço, não pelo tempo das pessoas que nos entregaram uma parte de sua vida para que saísse água das nossas torneiras.

Somos seres interdependentes. Enquanto não aceitarmos isso, faremos muito mal aos outros e os outros farão muito mal a nós. Então, o melhor é nos prepararmos para dar ao menos algum trabalho na velhice. Nossa meta deveria ser tornar o trabalho de quem cuida de nós quase *agradável*. Já passei por experiências maravilhosas com

---

[*] DataSUS, 2019.

pessoas de quem cuidei e que mostravam tanto afeto, tanta gratidão pelo que eu fazia por elas, que todos os dias eu tinha vontade de voltar, de cuidar mais. Certa vez, uma paciente me disse:

"Doutora Ana, procuro levar a vida de tal modo que, quando eu morrer, as pessoas sintam saudade, e não alívio."

Está aí uma conversa que me marcou. Convido você a fazer o exercício de olhar para sua vida hoje e se perguntar: "O que as pessoas vão sentir quando eu morrer?" Será que vão sentir alívio porque você as atormentava? Será que vão lembrar com saudade do tempo em que cuidaram de você, porque você sabia receber os cuidados?

Mesmo que sejamos péssimos alunos na arte de receber ajuda, a vida, sempre boa professora, nos ensinará. Um dia, é bem provável que todos nós tenhamos alguma condição física ou mental que nos obrigará a ser cuidados. Ainda que sejamos velhos saudáveis, não poderemos dispensá-los: envelhecer, digo novamente, traz limitações inevitáveis.

Minha mãe me ensinou a dar trabalho. Ela teve esclerose lateral amiotrófica (ELA), a mesma doença neurológica do físico Stephen Hawking (1942-2018), aquele cuja vida foi contada no filme premiado *A teoria de tudo* (2014). A ELA é uma doença rara e extremamente cruel: vai podando a independência sem afetar a lucidez, de modo que o paciente assiste às próprias perdas com total consciência da deterioração física.

Há pessoas que, diante de uma notícia ruim – um câncer, por exemplo –, repetem para si mesmas que vão fazer quimioterapia, que vão ficar bem, e pode ser que fiquem mesmo. No caso da ELA, uma doença progressiva e incurável, não há melhora a se esperar.

Ao longo do tempo, minha mãe precisou de cuidados cada vez mais intensivos. E ela era uma delícia de cuidar. Se eu ia arrumá-la na cadeira para que ficasse mais confortável, ela beijava meu rosto quando eu me aproximava. À primeira colherada de comida, ela pegava minha mão, beijava e agradecia, num sentimento pleno de gratidão, sentindo-se bem por receber meu cuidado.

Foi graças à minha mãe que eu soube receber cuidados quando quebrei o pé em 2018 – aquela situação em que o boxe largo do banheiro foi tão útil. Um escorregão no metrô a caminho de uma visita a um paciente e, em poucos segundos, minha vida mudou radicalmente. Hospital, cirurgia, uma longa e lenta recuperação, semanas sem pôr o pé no chão.

Eu tinha um companheiro em casa que todas as manhãs punha a mesa para o café. Com amor, mas diferentemente de como eu fazia. Eu sentava e percebia: faltava a colher. Pedia, ele trazia. Estava lá a manteiga, mas não o pão. Ele trazia. Alguns itens faltantes depois, ele perguntava, sem impaciência, apenas desejoso de acertar: "Tem mais alguma coisa que esqueci?" A verdade é que, naquele momento, eu não saberia dizer, porque nunca haviam me faltado as coisas em prestações, nunca tinha precisado de alguém para trazer; eu sempre ia buscar. E no caminho para buscar eu sempre me lembrava de tudo de que precisava, porque às vezes só descobrimos do que precisamos no percurso; parados, não nos lembramos.

De repente, me vi tendo que orientar alguém sobre a colher que eu queria, dentre as muitas na gaveta. Sem jamais ter pensado por que preferia esta ou aquela. Não temos o costume, nem motivo, para elucubrar os detalhes de todas as nossas necessidades e escolhas do dia a dia, mas, quando alguém se dispõe a cuidar de nós, temos que explicar coisas que, para nós, são simplesmente naturais.

O processo de receber cuidados é um grande aprendizado, mas precisa ser parte da nossa existência. Inclusive porque, para aprender a perder – algo visceralmente inerente ao envelhecimento –, precisaremos, antes, saber receber. Pessoas que não sabem perder não aceitaram o amor que lhes foi oferecido. Quando abrirem os olhos, pode ser tarde demais.

(Um parêntese aqui: vivemos em uma cultura que nos impõe cuidar de nossos pais, mas as casas de repouso estão cheias de idosos que jamais recebem visitas dos filhos, e isso, como já escrevi aqui, muito antes dos dias sombrios da covid-19. As equipes de saúde reclamam quando veem um idoso abandonado pela família. Entretanto, o fato de termos cabelos brancos não nos torna santos. Temos uma história construída com os nossos filhos e com os nossos pais, e as raízes da solidão nas casas de repouso podem estar nas relações de décadas atrás.)

PARTE III
LAPIDAR AS RELAÇÕES HUMANAS

*"Nosso legado é nosso modo de viver;
é a filosofia que guiou nossa vida."*

Chegar com alegria ao fim da vida depende de uma série de fatores, mas poucos são mais significativos do que a qualidade das relações humanas que desenvolvemos ao longo da nossa existência.

Não há como falar disso sem evocar um maravilhoso estudo feito em Harvard. O projeto chamava-se Harvard Study of Adult Development (que pode ser traduzido como "Estudo de Harvard sobre o desenvolvimento da fase adulta"). Começou em 1938 e incluía, no início, 268 estudantes. A ideia era acompanhá-los pelo tempo que fosse possível e, quem sabe, obter algumas pistas sobre os elementos que compunham uma vida feliz e saudável. Entre os participantes estavam John F. Kennedy, que viria a se tornar presidente dos Estados Unidos, e Ben Bradlee, célebre editor do jornal *The Washington Post*. Em 2017, havia alguns poucos sobreviventes, todos na casa dos 90 anos, mas o estudo já não se restringia a eles. Com o tempo, os pesquisadores incluíram filhos e filhas desses "pioneiros" – cerca de 1.300 pessoas –, além de um grupo de moradores de Boston, a cidade onde se localiza a universidade.

Qualquer pesquisador sabe como é raro e valioso construir um estudo assim, o que só foi possível por uma combinação de sorte, financiamento estável e algumas gerações de apaixonados pelo projeto, empenhadas no sucesso da empreitada. A cada dois anos, os estudiosos perguntavam aos participantes sobre sua saúde física e sobre a vida em geral: vitórias e fracassos na carreira, nos relacionamentos amorosos, nos vínculos familiares. Alguns se tornaram médicos, advogados, empresários bem-sucedidos; alguns desenvolveram esquizofrenia, alcoolismo, seguindo trajetórias distintas e variadas, um fragmento da imensa teia da sociedade humana. Com as informações, os pesquisadores encorparam um dossiê com dezenas de milhares de páginas das quais emerge uma constatação cristalina: o que manteve aqueles homens (e mais tarde mulheres; inicialmente elas não estavam no grupo, pois Harvard era uma universidade masculina) mais saudáveis e satisfeitos não foi fama nem dinheiro. "O achado surpreendente foi que nossos relacionamentos, e quão felizes estamos neles, exercem uma influência poderosa sobre a nossa saúde", explicou o psiquiatra Robert Waldinger, diretor do estudo (que continua até hoje!). "Cuidar do corpo é importante, mas nutrir os relacionamentos também é uma forma de autocuidado." Em 2015, Waldinger participou de uma TEDx que se chamava justamente "O que determina uma vida boa? Lições do mais longevo estudo sobre a felicidade", um sucesso no YouTube, com mais de 36 milhões de visualizações.

O estudo de Harvard mostrou que relacionamentos satisfatórios protegem não apenas a saúde física, mas também o cérebro. As perdas cognitivas foram muito menores entre os participantes que tinham vínculos fortes com a família, os amigos e a comunidade. Ao buscar resposta para uma pergunta complexa – "Aos 50 anos, é possível determinar fatores preditivos da boa saúde aos 80?" –, os pesquisadores novamente se depararam com as relações humanas. O nível de satisfação nos relacionamentos aos 50 anos era mais decisivo para a saúde do que, por exemplo, as taxas de colesterol. "As pessoas que tinham relações mais felizes aos 50 eram também as mais saudáveis aos 80", informa Waldinger. No outro extremo, o estudo mostrou que a solidão é tão letal quanto o tabagismo e o alcoolismo.

Como começamos a envelhecer no momento em que nascemos, deveríamos cuidar desses laços desde muito cedo. Infelizmente, não é o que vejo. Percebo que há seres humanos capazes de viver uma vida quase inteira sem expressar afeto. No entanto, paradoxalmente, no espaço dos cuidados paliativos e da geriatria tenho o privilégio de conhecer pessoas num momento em que sua capacidade de dar e receber amor está mais aguçada: no sofrimento. É como se reservassem para o final o melhor de si. Não precisa ser assim, mas, quando é, o que resulta desse amor represado e enfim livre é um deslumbramento.

Já acompanhei incontáveis histórias de amor que se desenrolaram na proximidade da morte. Estou convencida de que algumas serão eternas; nestas, o amor se fez presente, incansável, a cada dia de convívio, a cada momento de alegria e dor. Nunca esquecerei uma paciente que me disse: "Sabe, dra. Ana, eu não sou viúva, não me sinto viúva. Sou apenas uma mulher que ama um homem que não existe mais." Ela sorria, e dentro do seu olhar havia também um sorriso, porque olhares que conheceram o amor jamais deixam de sorrir.

Outra história que me tocou profundamente foi a de um casal que me procurou no consultório, ambos na casa dos 80. As maiores queixas vinham dela: cansaço, certa falta de ar, uma agonia no peito. Estavam preocupados, naturalmente. Pedi exames e fiz o diagnóstico: câncer de pulmão já bastante avançado; pouco se podia fazer. Quando dei a notícia aos dois, olharam um para o outro, as lágrimas percorrendo caminhos entre as rugas profundas daquelas faces. Ele falou primeiro:

"Tão pouco tempo com você, mas cada minuto vale, para sempre."

Achei que ele se referisse metaforicamente à velocidade da passagem do tempo, mas não: estavam casados fazia apenas dois anos.

"Eu a conheci quando tínhamos pouco mais de 20 anos. Morávamos na mesma rua. Eu era casado, ela também. Eu me apaixonei assim que a vi pela primeira vez, mas guardei esse amor no coração, pois não havia como ficarmos juntos. Não seria correto. Quis sufocar esse sentimento, não consegui e meu coração sofreu demais. Então, aos 78 anos, eu fiquei viúvo. Ela perdeu o marido aos 80. Esperei um ano, o tempo de respeito pelo luto dela, e me aproximei."

Passaram a conversar todos os dias e, como nada mais impedia que se declarasse, ele falou sobre o amor que sentia por ela desde a juventude. Para sua surpresa, descobriu que ela o amava também, desde aquele instante perdido no passado, e que havia sofrido exatamente o mesmo que ele.

Era ele quem contava a história de amor, emocionado, as lágrimas incontidas: "Não me lembro de ter vivido um dia tão feliz quanto aquele em que ela me amou sem medo, sem culpa nenhuma", suspirou. Ele pediu a mão dela aos filhos, que concordaram. No dia do casamento, ambos já eram octogenários. "Posso dizer com toda a certeza do mundo, dra. Ana: eu a esperaria por quantos anos ou quantas vidas fossem necessárias para ter um único dia de amor com ela. Deus foi generoso: me deu dois anos ao lado da mulher que eu sempre amei. Agora vou cuidar dela a cada dia que Deus permitir que eu me veja refletido nesses olhos" – e olhou-a como só olha quem contempla um grande amor.

Jamais vou me esquecer da forma como ela retribuiu o olhar, uma mistura perfeita de paixão e tristeza, amor e compaixão.

O câncer seguiria seu caminho irrefreável. Talvez a radioterapia pudesse melhorar a qualidade de vida daquela paciente e, de quebra, dar a ela mais alguns dias para refletir em seu olhar a imagem do marido que esperou por ela a vida inteira. Mas havia um obstáculo: muitos pacientes simplesmente nem entram na fila de tratamento de doenças graves por causa da idade avançada. Aquela história de amor já tinha superado tantos desafios que pensei: por que não mais esse? Marquei uma conversa com a chefe do setor de oncologia do hospital onde eu trabalhava e relatei, com todos os detalhes, a paixão daquele casal. A médica se comoveu e autorizou a radioterapia da minha paciente idosa.

Conseguimos prolongar a vida dela por mais seis meses, atacando a doença e controlando o sofrimento por meio dos cuidados paliativos. A cada consulta eu testemunhava como aquela senhora, mesmo fragilizada, era profundamente amada por seu companheiro. Nada alterava o olhar amoroso dele: rugas, deformidades, cabelos brancos formando novelos emaranhados, fraldas, cansaço. Nunca houve medo – havia sempre ali, na minha frente, um homem e uma mulher respirando a felicidade por terem se encontrado nesta vida, felizes por viverem o amor. Amor que nutre, cria, transforma, engrandece, fortalece, possibilita a vida. Essa história já tem muitos anos e me ensinou a reconhecer onde existe amor verdadeiro. E onde há amor verdadeiro não entram medo, culpa nem abandono.

Minha paciente morreu em uma noite enluarada, em casa, na sua cama, sem desconforto físico algum, de mãos dadas com seu homem, que, mesmo tomado pela tristeza de vê-la partir, despediu-se com serenidade. Eu estava com eles e me lembro de ouvir o que ele sussurrou no ouvido dela: "Vai, minha amada, vai tranquila. Lembra que você transformou a minha vida, que ficou linda depois da sua chegada. Eu vou ficar bem. Saudoso, mas sempre feliz por ter encontrado e amado você." Fui ao funeral, e ela estava absurdamente bonita. Um dos filhos me abraçou e entre lágrimas disse:

"Minha mãe morreu curada, doutora. Eu sinto isso."

Eu também senti. O amor é a única cura possível. Naquele espetacular estudo de Harvard, mesmo que não usassem essa palavra, os participantes felizes sempre se referiam à presença do amor em sua vida.

Para amar de verdade é preciso ter em mente a nossa finitude. Portanto, se eu puder ensinar uma única lição para cultivar laços fortes e amorosos que nos preparem para uma vida (e uma velhice) feliz, é esta: comece cada relação sabendo que ela vai acabar um dia. E, enquanto durar, viva-a da maneira mais plena e inteira possível. Não é preciso ter medo do fim, pois o fim é certo. Não é razoável desperdiçar tempo com bobagens, pois ele é finito. Entregue-se à alegria de estar ao lado de quem ama, porque um dia isso vai acabar. Toda relação se encerra, nem que seja pela morte. Mas o amor verdadeiro sobrevive à morte do corpo. É no amor, e apenas nele, que mora a verdade da vida, a tão sonhada eternidade.

Quem envelhece nutrindo seus laços gregários – que vão muito além dos relacionamentos amorosos – descobre que não somos uma ilha envelhecendo num mar de juventude. Há uma geração inteira ficando velha conosco, a nossa geração, e isso faz toda a diferença. Não são só os nossos cabelos que estão embranquecendo. Não é só no nosso rosto que as rugas brotam. Não são apenas os nossos movimentos que ficam mais lentos e prudentes. Há todo um grupo passando pelas mesmas transformações, e esse senso de comunidade deveria trazer conforto ao envelhecer.

Na outra ponta, o envelhecimento sem testemunhas é uma experiência tão terrível que pode nos fazer duvidar da nossa existência. Idosos que não são ouvidos. Pessoas a quem ninguém pergunta sobre suas origens ou sobre suas conquistas (ou que são entrevistados apenas quando ficam doentes) podem passar por esta vida sem se dar conta da importância que tiveram e ainda têm. De modo geral, nossa cultura menospreza a história e o passado. Muitas vezes nos interessamos pelo que deu errado na vida alheia apenas para comentarmos depois, o que se aproxima mais da fofoca do que do interesse genuíno.

Estas são algumas perguntas maravilhosas que podemos fazer a um idoso: "O que deu certo na sua vida?"; "Me conta uma parte muito boa da sua história?"; "Quando você mais gostou de ser você?". Todas elas evocam a ideia de legado, algo que ajudará aquele idoso a dar sentido a tudo que viveu até ali, algo altamente restaurador na velhice.

Desfiando o fio da memória, me lembro de uma pergunta que fiz a um paciente com demência:

"Qual é a sua maior qualidade?"

E ele, sem pestanejar, respondeu: "Sou muito generoso, doutora, gosto muito de ajudar as pessoas."

"E o seu maior defeito?", eu quis saber então.

"Ah, isso eu não me lembro, não." Ambos rimos.

Muitas pessoas ainda pensam no legado em termos de herança, de genograma (com quem se casou, que descendência deixou). Para mim, legado é o modo de viver, é a filosofia que guiou nossa vida. Da mesma forma que você tem a sua, eu tenho a minha, e ela se baseia nos encontros com todas as pessoas que fizeram parte de mim e me deixaram memórias afetivas. Todos nós, juntos, podemos aprender a ver os idosos como um tsuru de origami: um símbolo de longevidade e sorte que se dobrou em muitas partes para chegar à forma que apresenta hoje. Esse ponto de vista nos ajudará a construir um tecido social mais íntegro.

Quinze minutos de escuta

Jamais me esquecerei do filho que levou a mãe a uma consulta e, durante a anamnese, enquanto eu entrevistava a senhora, disse:

"Mãe, a senhora fez tudo errado." Do alto dos seus 50 anos, ele se achava mais sábio do que os pais. Esse tipo de comentário me soa quase como um insulto pessoal. Retruquei com aspereza:

"Gostaria de fazer uma pergunta a você, posso? Quantos anos você tinha quando sua mãe nasceu?"

O filho passou o restante da consulta calado.

Familiares e profissionais de saúde que cuidam de idosos têm um papel fundamental na construção desse novo tecido social respeitoso do envelhecimento, e aqui dedico algumas palavras a esse público, sugerindo um novo jeito de interagir com os mais velhos. Imagine-se diante de uma idosa que está cuidando do marido e chega para uma consulta. Ou que essa senhora é sua mãe, que talvez tenha assumido os cuidados com o marido, seu pai. Nós, da área da saúde, somos treinados para reconhecer em um simples olhar quanto de condutas equivocadas há no cotidiano de pessoas que tanto querem acertar, mas nem sempre acertam. Minha sugestão é que a gente aprenda a refrear o impulso de consertar o que está errado e reservar quinze minutos para perguntar àquela senhora como é a sua rotina de cuidados: Como ela faz? Por que faz daquela maneira? Há quanto tempo é assim? Avise que aqueles quinze minutos serão só dela, sem interrupções. E prepare-se para ouvir. Aposto que ela ficará feliz com a oportunidade de falar (é bem provável que ninguém tenha indagado antes) e contará generosamente como é seu cotidiano.

Quando ela terminar, pergunte: "Tem alguma parte que a senhora acha muito difícil de fazer?" Ela dirá. Aí, sim, haverá uma abertura para que você se coloque:

"Dona Joana (esse era o nome da minha avó, gosto de evocá-la), eu aprendi uma série de técnicas que podem facilitar bastante as coisas para a senhora e também para o senhor José (era o nome do meu avô). A senhora quer que eu ensine?"

Dona Joana apreciará a ideia de ter ajuda para as coisas que considera penosas na sua rotina de cuidados. Quando essas estiverem resolvidas, ofereça seus conhecimentos e suas técnicas também para as coisas fáceis, explicando que há formas de tornar tudo mais leve. Dessa maneira o profissional de saúde deixa o pedestal de quem (acha que) sabe tudo e se torna testemunha de histórias únicas, com suas características particulares. Na outra ponta, o idoso se sente empoderado, alguém cujo conhecimento é acolhido e respeitado.

Pode ser que não haja mais tempo de perguntar sobre as histórias dos nossos pais ou avós. Meu maior arrependimento em relação a meus pais, já falecidos, é nunca ter lhes perguntado quem eles eram, além de meus pais. Da mesma forma que jamais saberei por que minha avó foi colocada em um navio em 1913, com apenas 8 anos, e enviada para o Brasil, onde viveria com uma irmã que tinha fugido da Espanha para se casar. Que mistérios envolveram essas vidas? Dificilmente saberei do meu passado. Mas pode ainda ser tempo de fazer isso pelos nossos filhos. Quando lhes dizemos quem eles são e desdobramos seu passado, fazemos deles testemunhas do que vivemos.

Um "parceiro de mudança"

Uma proposta que penso ser muito valiosa para nossa estadia no deserto é oferecer a nós mesmos a chance de viver essa experiência com companhia. *Parceria* talvez seja uma palavra melhor. Com alguém com que temos amizade e que seja mais ou menos da mesma idade. Uma das melhores definições de "amigo" que conheço veio da TEDx de Robert Waldinger, o diretor do estudo de Harvard. Amigo, amigo mesmo, é aquela pessoa para quem ligaríamos a qualquer hora para pedir: "Por favor, não estou bem. Me leve ao hospital." Todos deveríamos investir no projeto de ter pelo menos um nome – e em ser essa pessoa *para alguém.*

Outro filme muito inspirador para mim, embora improvável de ser reconhecido como valioso para a vida adulta, foi o primeiro da série *Toy Story*, dos estúdios Pixar. Para quem nunca viu, trata-se de uma animação infantil sobre as aventuras de brinquedos "humanizados" que se veem diante do desafio de enfrentar o esquecimento porque seu dono cresceu. A cena que quero relembrar aqui é a força-tarefa, no estilo missão de guerra, organizada pelos brinquedos para promover a mudança da família para outra casa. A proposta era que cada brinquedo tivesse o seu "parceiro de mudança", com o objetivo de não ser esquecido e não deixar que seu parceiro ficasse para trás. Isso teve sobre mim o impacto de uma imensa revelação! Firmar uma parceria de mudança traz ao mesmo tempo dois benefícios: salvar e ser salvo. Enfrentar a solidão no deserto pode ser mais assustador do que encarar outras dificuldades, como o calor ou o extremo frio, a fome ou a sede, o medo ou a insegurança. Quando temos com quem compartilhar pensamentos, ideias e apoio, todo obstáculo parece menor.

Separe um momento para olhar adiante e pensar em quem estaria nessa viagem com você. Ligue para essas pessoas ainda hoje. Pergunte o que elas acham da ideia de envelhecer com amigos por perto. Reforçar esses laços será essencial no seu planejamento de uma vida longa, ainda que parte dela se desenrole no deserto.

PARTE IV
APRENDER A PERDER

*"Como é que se lida com as perdas?
Onde ensinam? Como se aprende?"*

Há um aspecto do envelhecer que pede atenção e cuidado, e, na medida do possível, algum preparo, tanto quanto as questões físicas, mentais e sociais.

Ficar velho traz perdas.

Em nossa caminhada pela Terra, estaremos sempre perdendo algo. A maioria de nós perde tempo pelo fato de não prestar atenção nas bênçãos que a vida nos oferece a cada dia. Também perdemos cabelo, desempenho, memória, viço, beleza. Perdemos a capacidade de fazer as coisas sozinhos; perdemos liberdade. Também perdemos destreza para lidar com novas tecnologias; custamos a aprender como se paga conta pelo aplicativo do banco, isso quando aprendemos. Muitos de nós passam a ganhar menos do que estavam habituados. Tomaremos mais remédios e nosso plano de saúde, se tivermos a sorte de possuir um, será muito caro. Nossa qualidade de vida piora por causa disso. É tudo parte do envelhecimento e vai chegando devagarzinho. Ou, quem sabe, de um golpe só.

Muitas vezes perdemos doçura e nos transformamos em pessoas rígidas em mais de um sentido, nas articulações e no coração, por exemplo. Pensamos que o envelhecimento nos tornará mais resistentes à perda, porque, afinal, ganhamos couraça, experiência. Ilusão. Uma pessoa de 80 anos não tem a experiência de ter 81 porque ainda não chegou lá. De certa maneira, somos todos aprendizes do viver, por mais que os anos avancem sobre nós.

É impossível falar de perdas sem falar de morte. Perdas arrastam consigo os lutos, que na velhice virão com mais frequência e são o tema do próximo capítulo. Luto pelos familiares que se foram antes de nós, pelos amigos que perdemos, pelas capacidades que se fragilizam ou simplesmente desaparecem. Luto pelo emprego, pelas relações, pela segurança financeira. Muitas vezes, com o avanço da idade, perdemos algo ou alguém que nos validava como pessoa ou como profissional e ficamos desnorteados, sem saber quem somos. Nossa humanidade nos impele a manter ao nosso redor tudo que funciona como um espelho do que gostaríamos de ser – ou talvez até sejamos, embora precisemos desse espelho para ter certeza. Quando perdemos essa pessoa ou situação, desaparece com ela o parâmetro de quem somos.

Perder é tão duro quanto inevitável. E, para envelhecer bem, precisamos aprender a perder, independentemente de termos 20, 40 ou 70 anos.

Desde muito pequenos nos ensinam a ganhar e nos premiam quando nos destacamos. Perder? Melhor nem mencionar essa opção. Nossos amigos e familiares nos admiram quando conquistamos algo que transmita a eles uma percepção de segurança. Aprendemos a estudar e a trabalhar, a poupar dinheiro e a investir o que poupamos, a estruturar nossa vida sob a ótica do acúmulo. Não me refiro apenas ao acúmulo de bens materiais; o mundo está cheio de "acumuladores" de conhecimento, de afetos, de mágoas ou tristezas. Quanto mais (ou menos) temos (do que quer que seja), mais nos destacamos, como seres vitoriosos ou vitimizados. Tanto um como outro pode atrair plateia.

Embora vivamos sob a necessidade constante de ser valorizados, nem sempre sabemos acolher o que recebemos, de dinheiro a um simples elogio. Quem nunca reagiu a um comentário favorável com outro depreciativo? Se alguém nos diz "Que blusa bonita!", é bem comum respondermos de volta "Nossa, é tão velha!" ou "Ah, comprei numa liquidação". Para muitos de nós, receber um "presente" de alguém que não espera algo em troca é praticamente impossível. Da mesma forma, encontramos dificuldade em oferecer ao outro algo que não nos traga algum benefício ou reconhecimento.

Não estou mudando de assunto. É de suma importância que falemos sobre dar e receber porque, no evento da perda, não há quem dê nem há mais quem receba. Na perda, o encontro se desfaz. Nos iludimos com a ideia de que é possível ter uma vida segura, em que nada será perdido. Nos convencemos de que ninguém jamais nos tirará a capacidade de tomar decisões e, na sequência, de realizar aquilo que decidimos – ou seja, nossa autonomia e nossa independência. É assim, tomados pela autoconfiança e pela crença cega na garantia de uma vida imutável, que deixamos de nos preparar para as perdas e para todo o sofrimento que resulta delas.

Muitas vezes, nem é preciso esperar a velhice para que as perdas se manifestem em toda a sua magnitude: um emprego que se vai; uma pessoa querida que nos desaponta; um relacionamento que termina; uma doença que chega e que, em algum momento, nos tira a independência. E a perda maior de todas, a morte – a nossa morte.

Na minha jornada como geriatra e paliativista, encontro muitas pessoas que me interrompem quando pressentem que vou falar da morte. "Ai, doutora, eu tenho medo da morte, não quero falar sobre isso." Nesses momentos, não sou doce. Sou acre. Uma das minhas respostas típicas é esta: "Tudo bem, não precisa falar, porque, falando ou não, você morrerá também. Falar da morte não é requisito para morrer; ela é um evento certo na sua vida. Uma vez na vida você vai morrer; posso dizer isso com absoluta segurança." Não sei se aquela pessoa se casará, se ganhará dinheiro, se terá um diploma de ensino superior, mas sei, com 100% de certeza, que ela morrerá um dia.

Houve um momento durante a escrita deste livro em que vivíamos no mundo inteiro um recrudescimento da pandemia de covid-19, especialmente intenso no Brasil. Lembro que era o princípio de 2021, um ano estranho em que não houve carnaval, a maior festa popular brasileira, e as cores em geral alegres do verão foram tingidas de um cinza sombrio. Naqueles dias, as pessoas que insistiram na alegria do encontro se tornaram o símbolo de quem não se importa com a vida. Havia festas clandestinas patrocinadas por pessoas que negaram a importância do respeito à vida humana – pessoas doentes, na minha opinião. Quem insistiu em partilhar alegria e presença transformou a si mesmo em arma letal.

Àquela altura, todos já conhecíamos alguém infectado com a doença que guardava (ainda guarda) muitos mistérios para os médicos e pesquisadores. Naquele momento, em nosso país, mais de 4 mil pessoas morriam diariamente por causa do vírus – um transbordamento de mortes que, por meio de medidas como distanciamento social e informação correta e amparada pela ciência, vários países conseguiram evitar. Não o Brasil, onde, por meses a fio, houve quem acreditasse que existia um remédio para prevenir a doença. Naquele início de 2021, centenas de milhares de famílias haviam perdido pessoas queridas para o vírus que se espalhou depressa, deixando um rastro de dor e desumanidade. O risco de contágio impedia as despedidas, rituais tão calorosos, mesmo que marcados pelo sofrimento. Para muitos, a dor dessas perdas foi tão profunda que não conseguem imaginar em que momento poderão resgatar o direito de sorrir sem aquele ente querido por perto.

Como é que se lida com perdas assim? Onde ensinam? Como se aprende?

Quando a vida chama

A primeira reação de muitos de nós diante de uma perda, e aqui não me refiro apenas à covid-19, é se fechar em uma espécie de caverna interior. Um túnel, como diria a filósofa Lúcia Helena Galvão, criadora do canal do YouTube Nova Acrópole, com mais de 600 mil seguidores. Em uma *live* comigo durante a pandemia, ela disse algo assim: "A luz no fim do túnel só será útil para as pessoas que querem sair do túnel. De nada adiantará observar a saída e não querer sair daquele lugar escuro e apertado."

Mesmo que você, eu e um grupo de outras pessoas vivamos o mesmo luto, cada um de nós estará na própria caverna. O ato de cavar até chegar à saída desse lugar cheio de dor é individual, intransferível; cavamos com as próprias mãos, por vezes deixando as unhas pelo caminho. Em algum momento veremos a luz, pois a vida irá nos chamar e nos guiar de volta. Porque outras pessoas demandam nossa atenção e nosso tempo. Alguém começa uma conversa – ou um e-mail – se desculpando pelo momento, mas enunciando algum pedido de trabalho. Os boletos continuam chegando. Há roupa para lavar, comida para fazer, banheiro por limpar. É a vida exigindo: "Ei, preciso de você aqui." Por outro lado, haverá uma hora em que a dor pedirá acolhida e teremos que nos entregar a ela durante um tempo. Alguns autores chamam esse fenômeno de processo dual do luto: ora estamos mergulhados na dor, ora a vida se impõe, e vamos nos equilibrando nessa linha fina.

Ocorre que o mundo que encontramos fora da caverna é outro. É um lugar onde nunca estivemos, pois a vida que tínhamos antes de perder aquela pessoa não existe mais. É outra realidade, sem a presença física daquele ser.

"Uma hora a vida vai voltar ao normal", nos dizem quando enfrentamos uma perda. A frase é bem-intencionada. Nossos amigos e familiares tentam nos oferecer uma perspectiva de futuro, um futuro no qual possamos resgatar aquele "normal" que se esfacela quando alguém morre – sendo essa, possivelmente, a mais terrível das perdas. Mas não nos iludamos: *a vida não vai voltar ao normal*. Jamais será a mesma de antes, porque antes havia aquela pessoa que você amava, ao alcance dos seus olhos ou da sua voz – bastava uma visita ou um telefonema.

O que não significa que estejamos condenados à tristeza eterna. Pode ser que, diante de nós, mesmo que ainda nebulosa, esteja a chance de construir um novo normal dentro de uma vida que faça sentido. De escolher como queremos viver ao sair da caverna.

Pense na pessoa que você amava e se foi. Há uma boa chance de que ela também tenha amado você. Se havia amor nesse relacionamento, essa pessoa não ficaria feliz com a sua infelicidade. Você pode argumentar que até deseja sair da caverna, mas a dor ainda grita mais alto. É como se ela nunca fosse silenciar – mas vai. E sua força voltará. Para que isso aconteça, porém, será preciso acolher cada etapa do processo. Haverá dias em que você não desejará sair da cama, tomar banho, comer. No entanto, chegará uma manhã em que olhará para fora e pensará: "O dia está bonito." Talvez algo dentro de você até tente negar: "Não, o dia não pode estar bonito." Mas a verdade é que ele estará bonito. E você será capaz de perceber isso.

Então um dia você terá vontade de conversar com alguém. Quando esse momento chegar, não permita que essa vontade seja destruída; ela é a expressão do som do seu coração. Ele agora "toca" diferente, mas toca. O novo ritmo do seu coração ainda vai compor encontros belíssimos, e você precisa estar pronto para quando eles acontecerem. Porque acontecem.

E também porque, de alguma maneira, as pessoas que perdemos passam a habitar em nós.

Eu sei muito sobre dor e perdas, porque passei por várias

delas. Talvez meu relato traga algum conforto a você que percorre estas páginas.

Perdi fisicamente meu pai e minha mãe. O relato dessas mortes pungentes está em meu segundo livro, *Histórias lindas de morrer*, de modo que, neste momento, basta que eu diga que ambos tiveram doenças graves e mortes bonitas – a de minha mãe, Cecília, talvez tenha sido a mais bela que presenciei. Eu sabia que eles estavam seriamente adoecidos, com moléstias que ameaçavam a continuidade da vida, e tinha um medo enorme de pensar em como seriam meus dias sem eles. Durante a internação de ambos, ele em 2010, ela em 2016, eu acordava aflita de madrugada e meu primeiro pensamento era: "Será que estão sentindo frio? Será que estão cobertos? Ou terão calor?" Durante a enfermidade de minha mãe, se ela estivesse com calor, não teria forças para afastar a coberta. Como sou médica, nessas horas tinha uma grande vantagem: ligava para o hospital onde estavam e pedia a gentileza de darem uma chegadinha no leito da dona Cecília ou do senhor Jacyr para ver se estavam confortáveis. Sempre me desculpava pelo incômodo, sabendo que podia parecer uma bobagem; afinal, para os médicos é importante manter a pressão arterial em níveis aceitáveis, garantir boa saturação de oxigênio e observar o potássio, mas para mim, que naquela hora era a filha, o que importava era saber se não sentiam frio ou calor. Se estavam bem.

Depois que eles morreram, as minhas primeiras madrugadas – muitas madrugadas, na verdade – foram de dor e angústia. Mesmo quando, exausta, eu conseguia adormecer, despertava aflita e imediatamente pensava:

"Nunca mais vou encontrá-los aqui." Quantas vezes peguei no sono de novo banhada em lágrimas! No entanto, de alguma maneira íntima e misteriosa, eu sabia: era assim que deveria ser. Na segunda fase desse processo, ainda na minha caverna pessoal, eu acordava sempre aflita, sem entender por quê; então me lembrava do acontecido e dava a mim mesma a notícia de que eles tinham morrido. Nessa fase não havia mais lágrimas, e sim um sorriso tímido enquanto eu pensava que meus pais já não sentiam frio nem medo. Os parâmetros biológicos que conhecemos não se aplicam aos mortos, e a simples ideia de que não sofriam mais já me fazia sorrir de alívio, mesmo que ainda de leve.

Perder pai e mãe faz parte da ordem natural das coisas. Entendemos isso do ponto de vista racional. Porém essa perda afeta profunda e inexoravelmente a nossa percepção de *estarmos a salvo*.

Há uma diferença sutil entre estar a salvo e estar em segurança. Quem me ensinou foi um paciente de quem tive a honra de cuidar muitos anos atrás.

Vamos chamá-lo de senhor David. Ele tinha uma doença oncológica grave e muitos sintomas. Eu o visitava em casa toda semana para fazer ajustes na medicação e dar suporte à família. A certa altura, avisei-o de que tiraria quinze dias de férias, mas que ficasse tranquilo: deixaria o contato de dois colegas que poderiam visitá-lo se ele precisasse de qualquer ajuda ou informação. Meu paciente prometeu que os chamaria. Não chamou.

Duas semanas depois, já de volta às visitas domiciliares, encontrei o senhor David muito mais frágil. Perguntei por que não tinha ligado para os médicos que eu deixara de sobreaviso. A resposta dele:

"Porque eles talvez até pudessem me dar segurança, mas eu não me sentiria a salvo."

Fiz cara de quem não estava entendendo, até porque não estava mesmo. Ele explicou:

"Você saberia a diferença se tivesse vivido no tempo da guerra, como eu vivi. Eu era bem pequeno, e naquele tempo o exército retirou as crianças de casa para levá-las a um abrigo onde ficariam em segurança. No entanto, tudo que eu queria era estar perto dos meus pais. Mesmo que nos víssemos no meio de um bombardeio, se eu estivesse com eles me sentiria a salvo."

Entendi. Ao perdermos pai e mãe, perdemos também aquele olhar que nos põe a salvo das intempéries, a voz que nos diz "Está tudo bem". Quando o senhor David me contou essa história eu ainda tinha pai e mãe. A morte deles me fez ver com clareza a sabedoria que havia nas palavras do meu velho paciente.

Perder um filho é uma dor que desconheço e à qual prefiro não ser apresentada. Filhos, não importa quanto tempo fiquem conosco – o tempo de uma gestação, um dia, um ano, 50 anos, 70 – despertam em nós um amor desmedido. De alguma maneira misteriosa, não precisamos de tempo para amá-los, sejam eles biológicos, adotivos, filhos de casais hétero ou homoafetivos – basta saber que essa pessoa existe. Os filhos nos mostram a dimensão da eternidade; quando partirmos, um pedaço de nós prosseguirá. Quando um filho morre, nossa percepção de continuidade desaparece.

Perder um irmão é uma dor que conheço. Cuidei até o fim de uma irmã que se foi e sei: perdemos uma testemunha da nossa história. Nem pais nem filhos sabem exatamente o que nos aconteceu como sabem os irmãos. Se um irmão vai na frente, leva consigo um pedaço da história que viveu conosco.

Perder um amigo é outra dor familiar para mim, infelizmente. Os amigos são também testemunhas do que vivemos. A pergunta que mais fazemos aos amigos de longa data é "Lembra?": "Lembra de quando a gente se meteu naquela baita encrenca e conseguiu resolver?"; "Lembra daquela viagem em que a gente viu o sol nascer no mar?"; "Lembra daquela vez que eu fiquei mal e você me acolheu na sua casa, cuidou de mim?". Quando perdemos um amigo, vai-se uma pessoa com quem podíamos reviver muitas lembranças.

O vínculo físico se desfaz no dia em que o ente querido morre. Porém muitas vezes o sofrimento começa bem antes, no tempo que conhecemos como "luto antecipatório", a experiência do luto sem que a perda tenha acontecido de fato. A pessoa está doente, foi hospitalizada, recebemos a informação de que seu estado é grave, talvez não sobreviva. Sentimos choque, revolta, tentamos barganhar com o destino: "Eu nunca amei essa pessoa como ela merece ser amada, mas, se ela ficar boa, tudo será diferente." Com a morte, inicia-se o nosso tempo na caverna. Então, passo a passo, nos aproximamos da saída. A vida vai voltando. Reconhecemos que a dor do outro não existe mais.

Levei alguns meses para me lançar às primeiras aventuras fora da caverna. Eu continuo tendo pai e mãe. Apenas não estamos existindo na mesma dimensão.

Geralmente perdemos nossos pais quando nos encontramos no auge da idade adulta, como aconteceu comigo, ou na meia-idade, talvez até nos primeiros anos da velhice. Se a vida tiver seguido esse script (e sabemos que nem sempre segue, mas suponhamos que sim), nessas fases as perdas ainda devem ter sido esporádicas. Talvez ainda sejamos aprendizes. Mas precisamos ser alunos aplicados, porque o envelhecimento potencializará as perdas, e da nossa capacidade de ouvir os novos ritmos do nosso coração dependerá a qualidade dos nossos dias.

PARTE V
CONVIVER COM OS LUTOS

"Aproxime-se das pessoas que não banalizam seus sentimentos."

O luto é um trabalho dos mais desgastantes, que ocupa um espaço imenso de nossa vida. Acordamos de manhã e nos damos conta de que aquela pessoa que amamos morreu e que nunca mais a veremos novamente. É exaustivo acordar dia após dia com essa consciência. No processo de digerir uma grande perda, nos sentiremos exauridos, porque assistimos ao desmoronamento do nosso mundo presumido – aquele que nós, pretensa ou ingenuamente, achávamos que estava sob nosso controle.

No mundo presumido, as pessoas que amamos estão em casa, protegidas; o trabalho que realizamos é impecável; nossos relacionamentos vão tão bem, não há nuvens no horizonte; nossa saúde está tinindo, como garante o último check-up.

Nosso mundo presumido funciona lindamente... até que um dia o chefe nos demite; nosso companheiro revela que deixou de nos amar; uma pessoa querida morre. Então ele desaba, porque seus alicerces não são de concreto. Os alicerces do nosso mundo emocional são feitos de pessoas. Até tentamos vinculá-lo a objetos ou situações – um carro blindado para aumentar nossa segurança, exames para assegurar que nosso corpo segue funcionando perfeitamente –, mas nada disso nos protege da dor da perda.

São as pessoas que trazem segurança ao nosso mundo presumido.

Quando elas se vão, nossas ilusões desmoronam. Imersos em seus escombros, pensamos que não conseguiremos suportar a falta daquele ser que dava sentido à nossa vida.

Todos nós já sentimos esse vazio alguma vez, mas à medida que envelhecemos esses momentos se tornam mais frequentes. Vão-se nossos amigos, nossos familiares mais velhos, um professor que marcou época, um médico de toda a confiança. Parece mais difícil recompor os alicerces, e talvez seja mesmo; na velhice, podemos ter menos energia para reconstruir nossas bases. Justamente por isso, talvez sejamos capazes de organizar um mundo menos presumido e mais real, o que é positivo. Assim transformamos a ausência em uma presença dentro de nós, segura e inabalável. Meus pais moram dentro de mim, portanto não correm mais qualquer risco de morrer. Habitando-nos, as pessoas que "perdemos" permanecerão vivas eternamente, ou enquanto tivermos consciência para nos lembrarmos delas.

O luto tem um objetivo, que é a reconstrução simbólica do vínculo – o tal som diferente do coração, uma nova música cujos silêncios serão preenchidos pela ausência da pessoa que a gente ama (assim mesmo, no presente do indicativo, porque o amor, não me canso de repetir, nunca morre). Quanto tempo isso leva? Impossível saber, e quem impõe um tempo ao luto do outro está tentando fugir à responsabilidade de cuidar dessa pessoa.

Luto é individual, solitário. Pede quietude, mesmo que preenchida pela tristeza. Como pesquisadora do luto, conheço um punhado de teorias sobre quantas são as fases por que passa o enlutado, por quanto tempo se estendem. Mas a verdade é que luto não é teoria: é experiência. É a experiência que vai compor cada trajetória individual e pautar seu desenrolar. O que posso dizer é que há um primeiro momento de dor – lancinante, espiralada, que por dias e dias parece não arrefecer nem um milímetro. Esse é o estágio do grito. Então vem o segundo momento, o silêncio, que preenchemos com as lembranças do que vivemos com a pessoa que partiu.

Hoje penso que luto é para sempre: um processo ativo, vivo, que nos acompanha pela vida, e por isso precisamos aprender a viver com ele – o que se revelará um saber precioso na velhice. De maneira geral, no primeiro ano ele é mais delicado e dolorido. As primeiras datas importantes sem a pessoa que amamos são atrozes: o primeiro aniversário dela sem ela; o primeiro Dia dos Pais sem a presença do pai; o primeiro Natal, o primeiro Yom Kippur, o primeiro Ano-novo. Eu comparo essas datas com rios imensos, como o Solimões, em que não é possível enxergar a outra margem. Despertamos para cada um desses dias tomados pela magnitude da travessia; não é possível chegar ao outro lado, pensamos.

Mas chegaremos, sim. Como todos os outros dias da nossa vida, esse dia vai passar.

Minha recomendação para esses dias de travessia do Solimões é esta: ritualize-os. A ritualização nos fortalece para enfrentar o percurso. Cozinhe a receita de que a pessoa mais gostava. Ouça a música favorita dela. Veja fotos. Num Dia dos Pais recente, eu me permiti folhear velhos álbuns de fotografias e chorar. Meu pai morreu há mais de dez anos, mas, para mim, ainda faz sentido chorar, porque me traz alívio. Lágrima é amor líquido: se choro é porque ainda tenho amor. Lágrima e sorriso. A saudade dói, mas o tempo pode transformá-la em uma dor boa.

Não vou dizer que é fácil. Não é. Mas temos dentro de nós todas as ferramentas para atravessar o primeiro dia, e depois dele o segundo, o terceiro, o quarto. A primeira quinzena. E um dia não nos lembraremos de que aquele era mais um dia para transpor. Simplesmente avançaremos.

Atravessando o Solimões

Vivi isso na morte da minha mãe.

Em dias de eleição, minha mãe e eu tínhamos um ritual que nos trazia conforto e a alegria delicada das coisas conhecidas. Mesmo depois de casada, nunca mudei meu local de votação, que era perto da casa onde ela morava. Nesses dias, eu passava na casa dela, deixava-a no supermercado em frente ao lugar onde eu votava, ajudava-a com as compras na saída e depois a levava ao prédio onde ela própria votava. Dever cumprido, íamos comer pastel numa feirinha ali perto, onde muita gente confraternizava depois de votar – algo que em tempos de pandemia passou a se chamar "aglomerar". Era um dia só meu e dela, que se repetia a cada dois anos. Os outros dias – das Mães, Natal, Ano-novo, aniversário dela – incluíam outras pessoas e não tinham para nós o mesmo sabor que o dia da eleição.

Cecília, minha mãe, morreu em 19 de março de 2016. Em outubro de 2018, dois anos e meio depois, acordei cedo e pensei: "Hoje é dia de votar!" Peguei o título, entrei no carro e fui à casa dela.

Já estava no meio do caminho quando lembrei: ela havia morrido.

Descobri que não tinha me preparado para aquele dia. Não ritualizei, não planejei o que fazer e fui arremessada sem boias no rio de margens distantes. Segui para meu local de votação chorando poças de lágrimas o caminho inteiro. O mesário se apiedou de mim. Tivemos um diálogo bem curioso:

"Moça, eu sei que é difícil, mas vai ficar tudo bem, a gente vai superar seja lá o que vier por aí."

"Não é por isso que estou chorando", falei, tentando um sorriso para agradecer a gentileza dele.

"Nossa. Ainda bem que não é por isso, porque você está chorando muito."

Em certos momentos a dor nos captura, e tudo bem. "O luto é o preço do amor", escreveu o psiquiatra inglês Colin Murray Parkes, um grande estudioso do assunto. Passei o dia chorando, me arrastando entre cafés até terminar a noite num boteco, sempre pensando que, se eu chorava assim, era porque havia amor. E se tinha tanto amor, a reconstrução dos meus alicerces seria mais fácil, de alguma maneira. Nove horas da noite e eu pensei: "Ainda tenho três horas para chorar antes de pegar no sono." E assim foi.

Mergulhei num sono pesado e profundo, os olhos ardendo. Uma noite sem sonhos. Acordei no dia seguinte: passou. Mais um Solimões atravessado a lágrimas.

Minha mãe não merecia que eu permanecesse presa na

dor. Mas eu tinha que passar por ela para reconstruir essa história de maneira simbólica.

Pode acontecer de os dias passarem iguais e não sentirmos a mínima curiosidade de ver se o sol continua nascendo. No envelhecimento, essa sensação pode ser mais frequente do que se sofremos perdas aos 20, 30, 40 anos.

Quando o tempo passa e não conseguimos encontrar a saída da caverna, talvez precisemos de ajuda. Felizmente, nunca houve tantos recursos disponíveis, inclusive gratuitos, para o suporte ao luto. Destaco o maravilhoso trabalho do Abrigo Humano, um grupo de voluntários de psicologia e de outras áreas da saúde que atende gratuitamente profissionais da linha de frente da covid-19 e pessoas que perderam entes queridos para a doença. Se eu puder dizer uma única coisa aos meus leitores enlutados que sofrem hoje, é: não se abandone. Se a pessoa que você ama ainda estivesse aqui, estou certa de que ela diria o mesmo.

Mais do que apenas aprender a perder, precisamos preservar a lucidez, o desejo de continuar vivendo apesar de todas as outras perdas que o envelhecimento nos trará. Haverá dor, mas também haverá alegrias, conquistas e desejos. Ainda haverá a vida que prezamos tanto e que pode se abrir para nós no tempo que tivermos pela frente.

O olhar amoroso para o que perdemos nos ajudará nesse percurso.

Olhar com afeto para as nossas perdas é trabalhoso, mas o processo de cura dessa dor passa por reconhecer que ela existe.

Conselhos que não ajudam

Há situações e formas de expressão que podem tornar nossa temporada na caverna mais dolorosa. Depois que vivemos uma perda, as pessoas que amamos tentam nos consolar e acabam dizendo coisas que nos machucam ainda mais. Na coluna das atitudes que não ajudam está o clássico "Fulano perdeu a batalha para a doença". Mais uma vez: a intenção pode ser boa, o resultado não é. Ninguém perde para uma doença porque não se trata de uma guerra. O que existe, isto sim, é uma jornada em que começamos vivos e que tem percalços: adoecemos e a certa altura morreremos. É o caminho que todos percorremos, ao fim do qual haverá um câncer, uma parada cardíaca, a covid-19.

Portanto, jamais deveríamos dizer que uma pessoa "perdeu para a doença", qualquer que ela seja. Essa "derrota" não existe. As pessoas são corajosas no enfrentamento do que a vida destina a elas; quando chegar a nossa vez, seremos corajosos também.

A única derrota acontece quando não amamos.

Da mesma forma, sempre haverá alguém a nos dizer: "A vida continua!" Não é mentira: a vida de fato continua, mas, quando perdemos alguém, mergulhamos num tempo-espaço preenchido pelo nada, um vazio absoluto. A imagem que me vem à mente é a do Atacama, que descrevi lá no início do livro: um deserto de sal, lugar de chão branco que alfineta a vista, tamanha a claridade. É quase impossível ficar de olhos abertos num deserto de sal – e também após a morte de alguém que amamos.

É inegável, porém, que aprendemos algo com nossas perdas. Elas nos ensinam a respeitar o sofrimento do outro porque tivemos um contato visceral com outro sofrimento – o nosso.

Quem perdeu um filho certamente já ouviu de alguém: "Você é jovem, vai poder engravidar de novo." Quem perdeu a mulher certamente já ouviu: "Você é tão jovem, vai se casar outra vez." Quem perdeu o pai certamente já ouviu: "Ele já era muito idoso, descansou."

Sabemos quão falsas e desrespeitosas são essas afirmações, mesmo se bem-intencionadas. Estamos prontos para aceitar a morte de qualquer pessoa de 98 anos "porque já era muito idosa", exceto se a pessoa em questão for o nosso pai. Nenhuma pessoa de 98 anos terá o valor que a vida do nosso pai tem para nós. E, mesmo que eu e você tenhamos perdidos nossos pais aos 98 anos, não sabemos o que o outro está sentindo. A natureza dos vínculos é absolutamente única. Quando meu pai morreu, três filhas perderam o pai, mas cada uma perdeu um pai diferente. Porque, para cada pessoa que habita a nossa vida, somos seres diferentes. E o que se perde é a existência concreta, física; a relação que estabelecemos não morre. Meu pai morreu, mas sempre será meu pai. A relação se quebra numa perspectiva de futuro, mas, do ponto de vista do passado, ela jamais desaparecerá. Isso acontece inclusive com as relações que se rompem sem precisar da morte física.

Não entendemos o que é a perda para o outro, mas entendemos o que é perda. E por isso deveríamos aprender a respeitar as pessoas que perdem. A experiência de ter nossa dor respeitada pelo outro nos ajuda a dar os primeiros passos em direção ao alívio dessa dor. Enquanto nossa dor não for reconhecida, nos sentiremos compelidos a provar que está doendo.

Aproxime-se das pessoas que não banalizam seus sentimentos. No momento em que seu coração voltar a bater organizadamente, com força e ritmo, e não for apenas um barulho esquisito dentro do peito; no momento em que a areia desse rio cheio de lembranças que corre dentro de você, toda revirada, turvando a água cristalina, começar a assentar – quando esse momento chegar, são essas pessoas que o ajudarão a compreender o novo som do seu coração. Será um som diferente, mais complexo e mais bonito, porque incorpora a história das pessoas que você amou e que partiram.

PARTE VI
CULTIVAR AS BOAS LEMBRANÇAS

"As boas lembranças são um retrato daquilo que juntamos ao longo da vida."

O luto pode ser descrito como uma transformação, um casulo no qual nos fechamos à espera da nova pessoa que nos tornaremos. Para que esse mundo pequenino e apertado se converta em um lugar respirável, é preciso fazer silêncio e evocar as lembranças da pessoa que se foi. Esse processo é essencial: as lembranças nada mais são do que pistas que nos levam a nós mesmos, a partir do olhar do ente querido que perdemos.

Por isso precisamos cultivar boas lembranças.

No tempo de ser adultos, passando dos 45 anos, o maior conteúdo de vida que temos provavelmente diz respeito ao nosso passado. Do ponto de vista cronológico, respeitando a tal da expectativa de vida, somos mais as memórias que juntamos do que o futuro que planejamos. O filósofo italiano Norberto Bobbio (1909-2004) dizia que "somos aquilo que pensamos, amamos, realizamos e *lembramos*" (o grifo é meu). Nossas lembranças constroem a nossa unicidade: no mundo inteiro, não há indivíduo idêntico a nós.

Boas lembranças advêm de vínculos que criamos com as pessoas que amamos. A cada dia, e à medida que envelhecemos, precisamos, mais e mais, abrir espaço para dizer "Eu te amo", aceitar desculpas de alguém que nos ofendeu, pedir perdão quando magoamos alguém. Aprendamos a expressar nossos sentimentos às pessoas que ainda estão aqui. Assim, quando elas se forem, conseguiremos refazer com sucesso os vínculos simbólicos, agora na dimensão do coração, esse lugar que abriga tantos amores, presentes física ou espiritualmente.

As boas lembranças são um retrato daquilo que juntamos ao longo da vida. Cada indivíduo tem a sua coleção particular.

Vale aqui um desvio para explicar o processo de construção das memórias. O médico e neurocientista Iván Izquierdo (1937-2021), argentino naturalizado no Brasil, dedicou sua vida e suas pesquisas a entender esses mecanismos. Izquierdo descreveu dois tipos de memória: a do dia a dia, de "trabalho", que é de curta duração, e a de longa duração. A primeira é um sistema mais simples, menos estável, comparável à memória RAM dos computadores. Você e eu estamos conversando e eu, apressada e sem papel à mão, lhe peço que "guarde" para mim um número de celular para eu retornar a chamada depois. Você se lembrará do número, mas não por muito tempo, porque a memória de trabalho precisa de espaço livre para armazenar novas informações de uso rápido, descartáveis, que nos bombardeiam a todo instante.

Com as memórias de longo prazo ocorre algo diferente: elas são registradas em associação com a emoção experimentada no momento em que vivemos a cena. Memórias afetivas não são necessariamente memórias boas; são memórias que nos *afetam*, nos transformam, às vezes em pessoas mais tristes, outras, em pessoas mais felizes. Suponhamos que você e eu estejamos frente a frente, em uma conversa divertida que fará você gargalhar. Enquanto estivermos falando e rindo, nossos neurônios processarão e codificarão cheiros (o perfume de uma dama-da-noite que a brisa noturna traz, por exemplo), vozes (rouca ou aguda), sensações (alegria, surpresa). Semanas depois, quando você relatar a alguém essa conversa que tivemos, provavelmente irá rir como da primeira vez, porque seus neurônios armazenaram essa informação colada às sensações do momento, tornando-a uma lembrança mais potente. As memórias afetivas se acomodam em um lugar sagrado do cérebro, ao qual temos acesso rapidamente. E nosso cérebro tem certa predileção por memórias boas, mais uma característica que já vem instalada de fábrica.

As memórias de longo prazo podem ser reconstruídas com novas informações, o que tende a ser de grande ajuda no caso de lembranças de situações violentas. Uma vítima de assalto "revive" o trauma a cada vez que se lembra da cena. No entanto, há terapias cognitivas que ajudam a editar essa história na memória adicionando a ela novos dados; por exemplo, saber que o assaltante tinha um filho gravemente enfermo e precisava de dinheiro para pagar um tratamento. A informação adicional nos permite "substituir" a lembrança terrível por outra, mais amena. Essa reconfiguração do que vivemos embasa terapias auxiliares em casos de traumas de guerra, de grandes tragédias naturais (como terremotos) e daquelas causadas pela ação humana (os americanos recorreram largamente a essa terapia após a derrubada das torres gêmeas em Nova York, em 11 de setembro de 2001).

Para as memórias dolorosas podemos contar também com a força do esquecimento. Por mais extraordinário que seja, nosso cérebro não consegue armazenar tudo que nos acontece e "apaga" parte das memórias para abrir espaço às novas. O esquecimento, da mesma forma que a lembrança, não apenas é benéfico como necessário para a nossa sobrevivência. Em entrevistas, Iván Izquierdo gostava de citar um conto de seu conterrâneo Jorge Luis Borges chamado "Funes, o memorioso". Funes era um sujeito que não se esquecia de nada: era capaz de lembrar de cada detalhe de seu dia. O problema é que o registro das memórias de um dia completo lhe ocupava outro dia completo. "Essa situação, claro, era uma impossibilidade, uma demonstração, pelo absurdo, de que o cérebro se satura", disse o neurocientista em uma entrevista de 2004.[*]

Mas é de lembranças, e não de esquecimentos, que quero tratar aqui. No embarque para o Saara, vamos levar quem a gente é. E somos quem lembramos que somos, já dizia Bobbio. Nossas lembranças nos acompanharão velhice adentro, iluminando os nossos dias com graça.

As minhas melhores memórias foram das viagens que fiz. Elas é que me mantiveram de pé quando, há alguns anos, achei que nunca mais poderia viajar. Eu tinha feito tantas viagens, e tão bonitas, que as lembranças me sustentariam.

Em 2013 fui a um congresso sobre cuidados paliativos em Porto de Galinhas, no litoral de Pernambuco. Ao final

---

[*] https://revistapesquisa.fapesp.br/lembrancas-e-omissoes/. Último acesso em 3 de fevereiro de 2021.

do evento, comecei a sentir uma dor muito intensa na hora de urinar. Eu já tinha tido infecção urinária antes, mas aquilo era diferente: eu chorava cada vez que ia ao banheiro. De volta a São Paulo, busquei uma receita com um amigo e comecei a tomar o antibiótico adequado. Não apenas os sintomas não cessaram como outros surgiram: comecei a sentir muito cansaço, febre e uma dor intensa e incomum, que parecia se estender da nuca até a base da coluna – passar de carro num quebra-molas era um tormento, e isso só para dar uma ideia. Atribuí ao excesso de trabalho e me obriguei a fazer repouso, mas então, semidesperta, comecei a ter alucinações: no teto, uma boca imensa falava comigo, como num mergulho em *Alice no País das Maravilhas,* o clássico de Lewis Carroll. Olhava em volta e via muita gente no quarto, pessoas que haviam morrido, inclusive. E, o pior de tudo, a certa altura simplesmente não conseguia mais urinar.

Fiz para mim mesma um pedido de exame e fui a um laboratório realizar a coleta de urina usando uma sonda. A enfermeira retirou quase dois litros, uma quantidade preocupante e muito desconfortável de líquido. Com o passar dos dias e novos sintomas estranhos aparecendo, resolvi pesquisar e descobri: eu tinha uma doença chamada ADEM, acrônimo em inglês para meningoencefalite disseminada aguda.

Não é uma doença fácil, com mortalidade aguda de 50%. Quando diagnosticada no início, requer internação e uso de medicamentos que *podem* ser eficazes. Mas fazia dias que eu estava sintomática. A ADEM causa lesão cerebral porque destrói a mielina, uma película delicada que recobre os neurônios. Quando já está instalada, como parecia ser o meu caso, a chance de haver sequelas definitivas beirava os 80%, com piora nos dois meses seguintes. As consequências imediatas que percebi foram fraqueza nas pernas e uma bexiga inoperante.

Entendi que talvez tivesse que conviver com essas duas "novidades" pelo resto da vida e comecei a me organizar.

Em relação à fraqueza, passei a planejar minha rotina de trabalho programando paradas para descanso mesmo entre pequenas caminhadas – do estacionamento do prédio ao consultório, por exemplo. Quanto à bexiga, procurei uma enfermeira conhecida e pedi a ela que me ensinasse a pôr a sonda em mim mesma. Não era simples, mas aprendi e me virei.

Acho que foi aí, praticando esse procedimento, que me dei conta: como vou posicionar a sonda no banheiro do avião na próxima vez que viajar?

Talvez não haja próxima viagem, pensei.

Claro que chorei muito quando descobri a doença. Mas a grande perda, para mim, era não poder mais viajar – como quem se aferra à ponta do problema porque ainda não dá conta de lidar com o iceberg inteiro. Nesses momentos, as memórias das viagens que fiz me traziam um doce consolo. Eu me lembrava do meu encantamento na região da Provença, na França, dos passeios pelas galerias de Florença, pelo museu a céu aberto que é Roma. Eu me via andando nas praias da Espanha e da França, entrando no Museu do Louvre, em Paris. Não fiz todas as viagens que queria fazer, mas todas as que pude, fiz. Não fiquei remoendo as que não faria; concedi a mim mesma uma espécie de perdão por isso. E repousei minha alegria nas boas lembranças.

Quem não tem essas memórias – não iguais às minhas, mas lembranças de bons momentos, vividos com afeto e intensidade, sem meias entregas – sofrerá mais ao envelhecer. E preste muita atenção: *o agora é o momento de construir as suas memórias para preencher os dias em que tiver que viver delas.*

Construir memórias: a hora é já

Conheço muitas pessoas que deixam a construção de boas memórias para dias que lhes parecem mais favoráveis. "Quando eu me aposentar, vou viver na praia", dizem. Ou: "Quando meus filhos saírem de casa, vou dar mais atenção ao meu casamento." Ou mesmo: "Não vejo a hora de chegar o fim de semana para poder viajar." Ora, na minha opinião, não há planos mais equivocados do que esses. Na verdade, quando pensamos assim torcemos para a nossa morte chegar mais rapidamente, porque, se o tempo acelera, o último dia estará mais próximo.

Essa percepção do tempo denuncia que há algo errado na qualidade das escolhas que fizemos e talvez ainda estejamos fazendo. O problema não é da empresa, dos filhos, do marido, da sociedade, do prefeito: o problema das nossas escolhas sobre como empregar o nosso tempo é fundamentalmente nosso. A gente deveria se aposentar um pouquinho todo dia, dedicando um tempo a fazer algo que queremos muito, mas para o qual (achamos que) não há tempo agora. Dito de outra maneira: cada dia que vivemos precisa ter um pedacinho de aposentadoria. É nesses instantes que construiremos nossas memórias, e não numa intangível mudança para o litoral ou na partida dos filhos rumo à independência.

Nem todas as nossas lembranças serão de passeios por cidades antigas coalhadas de monumentos ou por praias de areia branquinha. Haverá recordações de almoços de domingo com a família, de filmes com pipoca ao lado dos filhos, de um pôr do sol lindo na volta de um dia de trabalho. Memórias simples ou exóticas, todas elas serão nossas, e como tal nos farão companhia.

Ainda sobre aquele episódio de ter quebrado o pé: na véspera da cirurgia, a anestesista, uma amiga, esteve comigo para checar detalhes e perguntou se eu precisaria de um pré-anestésico "para ficar mais calma na hora". "Não preciso", respondi. Medicamentos pré-anestésicos nos deixam meio grogues, e de alguma maneira eu queria registrar tudo que estava acontecendo ali comigo. Queria construir a memória daquele momento, doloroso mas importante. Eu estava com medo, claro: era a minha primeira anestesia geral. Mas o ortopedista que conduziria a cirurgia era um amigo de longa data, então fiquei bem. Na sala de cirurgia, apaguei enquanto minha amiga anestesista conversava comigo. Minha última lembrança antes de fechar os olhos foi o sorriso de meus dois amigos, causado pelo meu sorriso.

E sobre a ADEM?, você talvez se pergunte. Bem, eu me recuperei, ainda que a doença tenha deixado algumas brechas na mielina. Durante algum tempo ainda lidei com sequelas pequenas, como um prurido na sola do pé, que com o tempo desapareceu, e pequenos lapsos de linguagem, que hoje ainda ocorrem, porém restritos a momentos de muito cansaço. Eu me preparei para conviver com aquelas sequelas a vida inteira, mas não deixei de viver por causa disso. Felizmente, o melhor me surpreendeu. Lembro que, quando me ensinou a instalar a sonda no meu corpo, a enfermeira fez um comentário que me marcou:

"A senhora é muito corajosa. Mas a maioria das pessoas não tem ideia de quanta gente corajosa assim existe por aí, levando a vida com uma sonda ou uma bolsa de colostomia sob a roupa."

Gente que não parou de viver. É o que a vida espera de todos nós.

PARTE VII

RECONHECER E TRATAR A DOR FANTASMA

*"O envelhecer nos pede coragem,
mas nos devolve vida."*

Em medicina, existe uma condição muito assustadora associada a pessoas que passam pela amputação de um membro que estava muito doente, com insuficiência vascular. Como não chegava sangue a esse membro, que pode ser um braço, uma perna, uma mão, ele adoece, gangrena e começa a apodrecer. É um processo extremamente doloroso desde o primeiro momento, quando falta o primeiro fluxo de oxigênio para aquela parte do corpo. É tanta dor que a amputação surge como a saída ideal: a parte doente é retirada; assim o corpo não corre mais risco de ser destruído por causa do membro infeccionado. Mas a dor permanece, porque está gravada no sistema nervoso central.

A depender do tempo que o paciente convive com aquela dor, o registro é definitivo: ele nunca mais deixará de senti-la. Instala-se o que nós, médicos, chamamos de dor neuropática, termo técnico que diz respeito à percepção de dor à revelia do estímulo; mesmo não havendo mais motivo, ela está ali. O nome popular é dor fantasma.

O conceito de dor fantasma pode ser transposto metaforicamente para outras situações. Quando temos algo na vida que é vital para nós – como um membro que nos ajuda a viver – e esse algo "adoece" por falta de fluxo de amor, de atenção, de tempo, de força, de coragem, pode haver apodrecimento. Esse "algo vital" pode ser uma pessoa, um sonho ou um projeto de vida. Se ele não recebe nutrição, começa a doer, inflama, incomoda. Se ignoramos por muito tempo a necessidade de cuidado desse pedaço da nossa vida, ele começa a gangrenar.

Às vezes passamos anos e anos fingindo que nada está acontecendo. A mão está podre, mas calçamos uma luva. Olhamos para o membro enegrecido e pensamos: "Não está bom, mas é melhor com ele do que sem ele." Atire a primeira pedra quem nunca teve uma relação assim. Um emprego assim. Um relacionamento assim. Chega o dia, porém, em que concluímos: não dá mais. Algo precisa ser feito.

Ao perceber que existe risco de infectar o restante da nossa vida, podemos tomar a decisão corajosa de amputar aquela parte podre. Só que a dor permanecerá. Ficará registrada. Isso acontece porque não cuidamos dela antes. Não entendemos por que surgiu, que espaço ocupou na nossa rotina. Enquanto não fizermos a anatomia da dor, isto é, entendermos o caminho que esse ferimento fez dentro de nós e cuidarmos dele interiormente, será impossível criar um fluxo em outra direção e a dor permanecerá, ainda que amputemos o que a causou. A dor de uma relação desmanchada, de sonhos, planos, projetos de vida desfeitos.

Mas fazer a anatomia da dor não é o bastante.

Quando perdemos alguém ou algo que não queríamos perder, a sensação é de choque. "Peraí, eu não vivi tudo que queria ter vivido com essa pessoa ou essa situação. Ficou faltando passado na nossa história."

Não é fácil tratar a dor fantasma; às vezes, só o fato de reconhecermos que ela existe já ajuda muito. Isso nos desobriga de lidar com o membro amputado, o que é maravilhoso. É como saber que, depois do divórcio, não precisaremos mais nos relacionar com aquela pessoa que um dia amamos, mas que depois de um tempo se tornou uma figura desagradável, incômoda. Há um certo alívio em nos relacionarmos apenas com a dor que essa pessoa deixou – uma vez que não é mais necessário cultivar nenhum vínculo com ela. Já foi. Acabou.

O problema não está no membro que foi amputado; não é o sonho de que você abriu mão que dói, e sim a dor que ele deixou pelo fato de não existir mais. Ter essa consciência vai poupar sofrimento na sua vida.

Sair do diagnóstico para o tratamento da dor parece um salto quântico, mas, na verdade, não é.

Em 25 de janeiro de 2019, uma barragem se rompeu na pequena cidade de Brumadinho, no interior de Minas Gerais. Uma torrente de lama tóxica soterrou as instalações locais da Vale, a companhia que explorava a mina de onde vieram os rejeitos, e cobriu a região. Duzentas e cinquenta e nove pessoas morreram, e umas poucas ainda não haviam sido encontradas até o momento em que pus o ponto final neste livro. Com o tempo e as investigações, os moradores de Brumadinho descobriram por que a barragem se rompeu; esse porquê, no entanto, não trouxe os mortos de volta. O porquê é uma notícia, não é uma cura. A cura mora na resposta a outra pergunta: para que aconteceu isso?

Em qualquer momento da vida, e principalmente na velhice, não devemos ficar nos atormentando com os porquês. Mesmo que estejamos enfrentando alguma dificuldade – e em geral estamos –, não devemos perder tempo, pois a vida está passando e talvez nunca encontremos a resposta a essa pergunta. Concentremo-nos no "para quê", pois é isso que nos ajudará a lidar com as nossas questões. O porquê está lá atrás, mas o "para quê" está aqui, bem diante de nós, e, uma vez respondido, nos traz uma liberdade muito mais poderosa: a liberdade de reavivar os nossos sonhos.

Comida estragada em prato bonito

Muitas pessoas convivem com membros podres, ou seja, adiam sonhos, projetos e realizações durante anos ou até décadas e passam a vida sofrendo por causa da dor que isso provoca. Se planejamos envelhecer bem, precisamos falar sobre esse assunto. Quando estivermos no Saara, melhor que não tenhamos esse espinho a machucar a nossa alma.

Conheci muitas pessoas que sufocam a própria dor dizendo a si mesmas que a vida é assim mesmo; que dão conta da situação tal como agora; que está tudo bem, quando obviamente não está. Pessoas em empregos miseráveis e estressantes que convencem a si mesmas de que a permanência é necessária; afinal, "como eles vão se virar sem mim?" ou "como vou me virar sem eles?". Pessoas capazes de suportar situações incômodas por muito tempo encontram justificativas como: "Eu faço pelos meus filhos", "Faço isso pelos meus pais", "É pelo salário".

Vou mandar a real: isso é hipocrisia. Quem se sacrifica pelo outro está servindo comida estragada em prato bonito. Porque a nutrição que oferecemos a alguém quando nós mesmos não nos respeitamos é uma nutrição de má qualidade, que já chega com uma carga negativa. É quase uma crueldade.

Aos olhos daqueles que nos cercam, no entanto, parecemos pessoas maravilhosas e abnegadas. Acontece que, quando abrimos mão de nós mesmos em nome do outro, estamos lhe oferecendo – mesmo que de modo inconsciente – a nossa pior parte. Não há nada de gentil ou de abnegado nisso.

Nossa parte cansada, frustrada, infeliz: é isso que realmente ofertamos enquanto recolhemos, agradecidos, comentários como: "Ela não se casou nem fez faculdade só para cuidar da mãe, olha que bonito." Mas uma vida sacrificada é algo muito, muito dolorido. Precisamos oferecer aquilo que temos de melhor para as pessoas que amamos. E, se acreditamos que não temos nada de bom para oferecer, precisamos primeiro descobrir as nossas qualidades para então doá-las sem hipocrisia, de peito aberto.

Se não agirmos assim, um dia a conta virá.

O tempo passa, como é da natureza do tempo, e um dia... a mãe de quem se cuidava morre. Então, quando deveria ser a tão esperada hora de viver, vem o diagnóstico de um câncer. Ou de outra doença que ameaça a continuidade da vida. Às vezes as duas notícias – a "libertação" do sacrifício autoimposto e o câncer avançado – chegam juntas, na mesma semana. Não é incomum a doença esperar a pessoa "ter tempo" para que comece a se manifestar. Então a doença chega quase como um presente. Se ela pudesse falar, diria assim: "Agora que você está disponível, olhe para o seu corpo, preste atenção no que é importante para si mesmo, porque você nunca fez isso, pois estava sempre ocupado com outras coisas."

Uma das coisas que eu mais escuto é: "Dra. Ana, a melhor coisa que aconteceu pra mim foi o câncer." Quando essas pessoas descobrem uma doença potencialmente fatal, esse membro que é parte de nós, chamado projeto ou sonho, começa a doer de maneira insuportável. Talvez ele já esteja morto. O diagnóstico desse sonho falecido ou semimorto é feito no dia em que a pessoa pega o resultado do exame que anuncia a doença grave. Aquilo que ela queria realizar daqui a 15 anos não cabe em um ano, mas terá que caber. Uma notícia como essa nos obriga a exercitar o sentido de prioridade para encaixar sonhos em um tempo limitado de vida. Dói.

Para muitas pessoas, é um tempo de arrependimentos.

Quando se está bem de saúde, há tempo para se arrepender. Aqui em São Paulo, a cidade onde moro, se pego a Marginal Pinheiros no sentido contrário ao caminho de casa, é possível contornar: em geral, basta entrar na próxima ponte, cruzá-la, fazer o retorno e pronto, estou no rumo certo. Mas... e se acaba o combustível?

Combustível é o espaço da saúde: sem gasolina para chegar até o próximo retorno, ficaremos pelo caminho. Não é mais de arrependimento que se trata, e sim de lamento.

Muitos de nós preferem simplesmente não pensar nisso. O problema é que, quando deixamos de pensar sobre o combustível, nos entregamos ao risco de chegar ao Saara sem protetor solar, sem chapéu, sem agasalho para as noites frias. Meu ponto aqui é: viver isso é muito mais trabalhoso e sofrido do que planejar um futuro que preveja essas perdas.

A dor exacerbada

Não quero encerrar este capítulo sobre a dor fantasma sem mencionar quanto ela se exacerbou na era da covid-19. As pessoas que perdemos – de quem muitas vezes nem pudemos nos despedir – permanecem em nós como membros amputados, provocando uma dor que as torna inexplicavelmente presentes em sua ausência. Jovens perderam velhos e velhos perderam jovens. Se todo luto é um trabalho, uma transformação e uma dor, em tempos de pandemia ele ganhou contornos terríveis. Não houve olhos que pudéssemos encontrar para nos devolverem a imagem de quem somos. Nos rincões deste Brasil, e mesmo nas periferias de áreas mais nobres, muita gente não dispunha sequer de um celular para fazer uma última chamada de vídeo, para ter uma última conversa olho no olho (mesmo que mediada pela tela) antes de uma intubação – da qual a pessoa podia sair viva ou não.

Uma das grandes catástrofes do advento dessa doença é que, por razões sanitárias, muitas famílias não tiveram acesso ao corpo da pessoa que morreu. E precisamos de um corpo para superar a dor fantasma e passar para o capítulo seguinte. Um corpo morto é a certeza da perda; enquanto não constatarmos o fim daquela história, ela permanecerá presente em nossa vida. Acabaremos nos relacionando com fantasmas e dedicando nosso tempo a um futuro que não existe. É como ser demitido e continuar indo para o trabalho: não há mais o nosso computador, a nossa mesa, nem sequer uma gaveta. Mas não mudamos de emprego oficialmente porque a carta de demissão ainda não chegou e nossa carteira continua sem a baixa do antigo empregador.

Vamos precisar lidar com isso. Não haverá atalho ou desvio para esse caminho que pertence aos nossos pés. E lidaremos, porque o envelhecer nos pede coragem, mas nos devolve vida.

PARTE VIII
ENCONTRAR O SENTIDO DA EXISTÊNCIA

"Por que você não quer morrer?"

Há uma abordagem sobre a perda que pode servir de combustível para seguirmos vivendo apesar da dor e das limitações. Ela é extremamente importante quando estamos diante de pessoas no fim da vida, sobretudo se há sofrimento, mas também é preciosa quando *nós* envelhecemos e somos acometidos de certa confusão sobre por que ainda estamos aqui. Essa abordagem baseia-se na logoterapia, a doutrina criada pelo médico austríaco Viktor Frankl. Sobrevivente de um campo de concentração nazista, Frankl publicou em 1946 um livro sobre sua experiência, *Em busca de sentido*, até hoje uma bússola quando precisamos encontrar uma razão para seguir vivendo. A abordagem que proponho começa com uma pergunta:

"Por que você não quer morrer?"

Muita gente dirá que tem medo da morte ou do que existe (ou não) depois dela. Ora, eu penso que, na maioria das vezes, temos motivos muito reais para querer continuar por aqui. Quando os identificamos, o sentido da nossa vida se fortalece. Só tem medo de morrer quem ainda não descobriu o que veio fazer neste planeta, neste tempo. Quando descobrimos, e quando estamos vivendo a vida que faz sentido para cada um nós, nos libertamos do medo de partir. No lugar dele fica a pena. Que, no entanto, não impede um desfrute muito mais pleno do envelhecer.

Da mesma forma que a vivência do luto, o sentido da vida é individual, intransferível. Não adianta oferecermos o nosso para outras pessoas, como se estivéssemos entregando a elas a oportunidade de andar pelo mundo como provas vivas de que tínhamos razão.

Quanto mais cedo descobrirmos esse sentido, mais tempo teremos para aproveitar o que a vida nos oferece. É como naquelas viagens em que precisamos desocupar nosso quarto de hotel até o meio-dia, mas o voo de volta para casa está marcado para a meia-noite. O que fazer com essas doze horas livres? Tem gente que se sente mais segura indo logo para o aeroporto e não se incomoda em ficar longas horas na sala de espera. Eu não: até aprecio quando o acaso me presenteia com esse tempo. Em situações assim, gosto de fazer o check-out do hotel bem cedinho e sair para explorar alguma atração local que deixei de conhecer porque não tive oportunidade ou então voltar a algum lugar interessante. Guardo a bagagem no maleiro do hotel (muitos oferecem essa possibilidade gratuitamente) e vou bater pernas. Para mim, a analogia é clara: essa é a melhor maneira de viver a vida, fazendo o check-out logo, ou seja, elaborando interiormente o sentido de estarmos aqui para aproveitar da maneira mais bela e intensa o "dia" livre.

Tem gente que não consegue viver assim. Fazer o check--out do hotel às sete da manhã e ganhar um dia inteiro de diversão? Impossível; viver é sofrer, afinal. Muitos de nós precisam de um drama, de uma dificuldade, que pode ser financeira, existencial, afetiva. Quando me separei, perdi algumas amigas porque só nos reuníamos para falar mal de nossas relações amorosas; sem essa conexão, nossos encontros rarearam até acabar de vez.

No dia em que estivermos todos felizes, talvez não consigamos lidar com esse sentimento.

Poucas pessoas dão conta de ser felizes.

Não seria maravilhoso se pudéssemos fazer o check-out agora e viver mais 30 anos sem pendências? As malas guardadas no hotel; quem sabe embarcar só com uma mala de mão? No máximo 100 mililitros de mágoa – metáfora para a quantidade de líquidos por frasco permitida nas viagens internacionais. Se possível, mágoa nenhuma. Parece bom, não parece? O exercício do desapego não é sinônimo de abandono. Ele se dá quando vivemos tudo que podíamos e aí, sem pendências, passamos a viver sem apegos. Desapego não é evitar o encontro e a entrega; é ser corajosos para nos entregarmos, deixando para trás tudo que não for vital para a nossa existência. E existência não é a conta bancária, o guarda-roupa, o álbum de fotografias: é amor na memória, é vida pulsando!

Tudo que vivemos, e mais ainda o que foi vivido de maneira intensa, nos transformou no que somos hoje sem que nos déssemos conta. Nossas perdas também fizeram de nós o que somos. Temos histórias com as pessoas, os amores e todas as coisas que perdemos – por vezes histórias longas, de cinco, dez, trinta anos. Às vezes temos a impressão de que terminaram antes da hora, outras vezes percebemos que duraram mais do que deveriam. Tratemos a dor dessas perdas, porque ela nos ensinará a lidar com a ausência. Ao acolher as perdas, entendemos a história que construímos e que nos trouxe até aqui. É o que nos sustenta e valida a nossa existência. É o que dá sentido à nossa vida.

Amor de verdade é aquele sentimento que nos faz viver tão felizes com uma pessoa que nossa história com ela, até o dia em que nunca mais a virmos, terá sido suficiente.

É um pensamento complexo. Releia a frase acima e continue aqui comigo.

Quando estamos diante de uma pessoa que consideramos o amor da nossa vida, a única certeza que precisamos ter é esta: o "para sempre" tem data para acabar. "Para sempre sempre acaba", já dizia Renato Russo na linda canção "Por enquanto". Quando dizemos "Eu amo você para sempre", o para sempre dura o tempo da consciência da nossa existência. Porém o amor é mais duradouro do que o ser que desperta esse sentimento em nós. Quando temos um sentimento amoroso real, o tempo que vivemos com o objeto do nosso amor é suficiente pra nos ensinar a ser quem somos aos olhos dessa pessoa.

Certa vez, chegou ao meu consultório uma paciente em uma condição muito frágil, acompanhada da família. Tinha muita dificuldade para andar e muito pesar, um sentimento denso que a envolvia como um manto; um grande sofrimento acumulado.

"Em que posso ajudá-la?", perguntei.

"Em nada." Lacônica.

"Você não vai nem me deixar tentar?", insisti.

Houve uma pausa. Achei que estava quebrando o gelo. Então ela veio com esta:

"É impossível. Quero meu filho de volta e ele está morto."

O marido e o filho, que a acompanhavam, intervieram. Pediram que ela deixasse daquilo. Lembraram que estavam ali porque ela andava com problemas de locomoção e também com lapsos de memória. Que não comia nem dormia direito. Voltei meus olhos para ela.

"Quanto tempo faz que seu filho morreu?"

"Vinte anos."

Um membro amputado, a dor jamais apaziguada. Meu coração se apertou.

"Quantos anos ele tinha quando morreu?"

"Dezoito. Acidente de carro."

"E como ele era?"

A senhora densa mudou: sorriu, os olhos se abriram e ela começou a falar dele. Era maravilhoso, um filho lindo, o primeiro filho, que a ensinou a ser mãe; uma pessoa alegre, bondosa. "Em volta dele só existia felicidade", contou.

"E ele sempre foi assim?", perguntei.

"Sempre, desde bebê." Ela abaixou a cabeça. As sombras voltaram.

"Você sabe que demora seis anos para a gente ter o diploma de medicina?", perguntei depois de um silêncio breve. Ela fez uma cara intrigada, como quem pensa: "O que que isso tem a ver?" Por fim, tentando ser educada, falou:

"É bastante tempo, não é?"

"É, é bastante tempo", confirmei, "o mais demorado de todos os diplomas."

"É bem difícil ser médico", ela concluiu.

"Não é fácil, não. Depois tem mais três anos de especialização."

"Nove anos?" Agora, além de intrigada com a mudança de assunto, ela estava surpresa: talvez não tivesse ideia da extensão do curso.

"Pois é, nove anos. Depois mais três de pós-graduação."

"Puxa, doze anos, doutora Ana? Bem que disseram que a senhora era especialista, esforçada, estudou muito mesmo. Imagina, filho, doze anos!", disse, voltando-se para o filho ali presente.

Prossegui:

"E continuo estudando, mas precisei de doze anos para ter reconhecimento concreto daquilo que sei fazer. Você acha que doze anos é bastante tempo?"

"Claro, é bastante tempo."

"E dezoito anos, é bastante tempo?"

Ela se mostrou mais confusa ainda.

"Dezoito anos é suficiente para a gente aprender alguma coisa com um professor particular? Digo isso porque, pelo que você me conta, você teve um professor particular de felicidade, de alegria e de bondade. E aí você esqueceu tudo depois de um acidente de carro?"

A senhora me olhava, perplexa. Nunca tinha pensado daquela maneira, admitiu. Pois deveria, argumentei.

"Você passou dezoito anos ao lado de uma pessoa que, a cada dia, desde bebê, fez questão de explicar a você o que é felicidade."

Eu sabia que a senhora era espírita. Então emendei:

"Fico imaginando esse moço lá do outro lado, coçando

a cabeça e se perguntando que parte ele não explicou bem. Não temos o direito de enterrar a história de amor que vivemos com a pessoa que amamos tanto e que morreu. É terrível escolher carregar as cruzes de uma ausência, sacrificando todo o tempo de presença que foi compartilhado, às vezes durante uma vida inteira."

A senhora abaixou a cabeça e chorou, mas era um choro de alívio. Essa mulher, que tinha entrado no consultório apoiada na bengala, curvada, saiu ereta, leve. Uns meses depois, voltou muito diferente. Bem-arrumada. Tinha retomado as aulas de dança e encontrado um novo sentido para continuar vivendo, o que ficou evidente para mim quando perguntou:

"Dra. Ana, você acha que meu filho está feliz de me ver assim?"

A ausência do rapaz não poderia destruir toda a história que se construiu entre mãe e filho. Nossa dificuldade em entender isso nos causa dores indizíveis. As salas de espera das UTIs estão cheias de pessoas de 70 anos chorando pela vida de seus pais, de 90, como crianças aos 5 anos indo para o primeiro dia de aula. Como se naquele instante, pela primeira vez, se dessem conta de que aquela vida não é propriedade delas. Quando um desses parentes me diz "Doutora, faça o que puder para salvar meu pai", na verdade está querendo salvar uma história que sobreviverá à morte da pessoa. Está buscando um sentido para o tempo que virá.

Cinco minutos para um abraço

A boa notícia é que todos os dias a vida nos oferece oportunidades de construir passados com as pessoas que amamos. Esses passados vão alimentar nossas memórias e essas lembranças serão doces no nosso tempo de envelhecimento. Quando essas pessoas forem embora, seja daqui a três meses ou daqui a setenta anos, ficaremos com toda a história construída nesse tempo de convívio.

A questão é: essa construção precisa ser ativa e, se ainda não começou, precisa começar já, sem perda de tempo. Se eu tenho cinco minutos, talvez dê para estacionar o carro diante do consultório da minha melhor amiga e pedir a ela que desça porque quero abraçá-la. Sempre que possível, afasto aquele discurso de ligar na semana que vem, sair no mês seguinte, deixar o encontro para as férias ou para quando estivermos mais disponíveis. Se morrermos na semana seguinte, não teremos vivido aqueles cinco minutos, tampouco outros.

Tenho uma pergunta: você já perdeu alguém tão importante que daria qualquer coisa agora, qualquer coisa mesmo, até todo o dinheiro que tivesse no banco, para ter cinco minutos com essa pessoa que morreu? Cinco minutos?

Se a sua resposta foi "sim", e eu aposto que foi, nunca mais jogue fora os cinco minutos necessários para uma ligação, para mandar uma mensagem de WhatsApp, para bater na porta do consultório da amiga e simplesmente dizer: "Estou aqui com um abraço pra te dar, vem?" Já inventaram serviço de entrega de abraço? Às vezes precisamos de alguém que o entregue por nós, e nem essas oportunidades eu deixo passar. Uma vez veio falar comigo uma estudante de medicina de uma faculdade onde tenho um grande amigo. "Gruda nele!", recomendei a ela, "e dê dois beijos nesse cara: um seu, de 'Muito prazer!', e outro meu." Eu não conseguiria ir até a cidade onde ele mora para abraçá-lo, mas me sentia muito feliz simplesmente por ser sua amiga.

Todos temos pessoas assim em nossa vida: o simples fato de conhecê-las já faz do nosso mundo um lugar melhor e nos ajuda a encontrar sentido no viver. Esse tipo de pessoa não precisa me ligar, não precisa me achar o máximo; a mim, basta que ela exista e que esteja bem. Essa deveria ser a relação comum entre pais e filhos, sem aquela conversa de "Meu filho não me liga, quando eu morrer ele vai sentir minha falta". Pessoas que pensam dessa forma atrapalham o mundo. Culpar o outro pela própria frustração equivale a abrir mão da própria existência, porque, quando damos ao outro o poder de decidir sobre o valor de nossa vida, perdemos nossa autonomia. Não podemos depender das ligações alheias. Façamos nós mesmos essa conexão.

Houve um domingo em que, afortunadamente, meus dois filhos estavam em casa. Adoro os domingos, dias de silêncio e serenidade, e aquele me parecia ainda mais encantador pela presença de dois amores tão perto, a alegria do tempo compartilhado. Fiz o almoço, terminamos, recolhi tudo para a cozinha e cada um foi para um lado. Uma mãe típica talvez pensasse: "Eu me sacrifico tanto por eles, temos tão pouco tempo juntos, e quando temos ninguém liga para mim, só ficam no celular, no computador, geração terrível, etc., etc." Faria escândalo, ou ficaria de cara amarrada, e acabaria com o domingo de todos.

É difícil amar quem joga na nossa cara que fez mais por nós do que por qualquer outra pessoa (isso gera culpa, e amor que vem temperado com culpa é podre, é agrotóxico; amor precisa ser orgânico).

Temos um grupo de WhatsApp, nós três. Pois peguei o celular e escrevi: "Oi!"

Os dois: "Oi, mãe!"

Eu: "Tô livre!"

"Kkkkkk", postaram os dois, como se tivessem combinado. "E aí?"

Respondi: "Se alguém quiser lavar a louça, eu faço companhia."

Foi um dos melhores domingos que tive com eles. Já houve outros em que eu estava no meu quarto, meu filho no dele, e eu escrevia: "Estou com saudades. Passa aqui para me ver?" Ele vinha e, quando chegava, eu dizia: "Já passou a saudade, só queria te ver, pode voltar... Ah, brincadeira. Pode ficar!" E rolava o papo.

O importante é fazer a conexão com as pessoas que cruzam nosso caminho na linguagem delas. Não permitamos que a velhice nos tire essa capacidade. O tempo de envelhecer deveria nos oferecer a habilidade de dizer o que temos a dizer.

"Eu te amo" é algo importante de ser dito, mesmo que pela única ou última vez. O que determina o sentido da nossa vida é a força dos laços que criamos com aqueles que amamos.

PARTE IX

FAZER AS PAZES COM O TEMPO DE MORRER DEPOIS DE ENVELHECER

"O propósito da nossa existência não pode ser somente favorecer a nossa própria existência."

Cada qual à sua maneira, todas as culturas tratam do envelhecer e da morte. Lembro de um conto que li no livro *Contos de morte morrida*, de Ernani Ssó, que me impactou profundamente.

Consta que a Morte havia trabalhado muito em um tempo de guerra e sua foice tinha perdido o fio. Portanto, estava temporariamente incapacitada de ceifar novas vidas. Ela então procurou um ferreiro e pediu a ele que amolasse a ferramenta. O ferreiro ouviu o pedido com certo alívio – a princípio, achou que a Morte tinha vindo buscá-lo – e concordou em ajudar.

A foice ficou afiada outra vez e sua dona, muito agradecida. O ferreiro então fez um pedido: queria que a Morte o avisasse com antecedência para deixar a vida em ordem antes de partir. A Morte concordou e foi-se embora.

Muitos anos depois, quando o ferreiro até tinha esquecido da história, a Morte voltou, dessa vez decidida a levá-lo. O homem se indignou; tinham combinado que o avisaria! Ela começou então a enumerar os "avisos": os cabelos embranquecendo, o caminhar mais lento, as rugas. Ora, de que mais ele precisava?

O ferreiro entendeu. Pediu ainda um pequeno prazo, que a Morte lhe concedeu, e no dia acertado foram embora juntos.

No nosso ciclo de nascer, viver e morrer, a morte não deveria parecer nada além de natural, um dia que vale a pena viver depois de um viver que teríamos navegado tão gloriosamente quanto possível. A impermanência deveria ser a tônica de todas as coisas: o que é ruim passará, o que é bom também passará. Numa tentativa de abrir nossos olhos para a beleza da vida na velhice, mesmo que até a Organização das Nações Unidas queira classificar o envelhecer como doença, quero falar sobre a compaixão como um caminho de experiências deste momento em que, sim, estamos vivos, mas, sim, estamos nos aproximando da morte.

Recorro a outro filme para refletir sobre a realidade – filmes servem para isso, além de nos distrair dessa mesma realidade. Desta vez, *Matrix*, de 1999, hoje quase um clássico da ficção científica. Mas não é a futurologia que me interessa, e sim uma fala do personagem Morpheus, um hacker com inclinações supostamente terroristas, vivido na tela pelo ator Laurence Fishburne. Com a palavra, Morpheus:

"Cedo ou tarde, você vai aprender, assim como eu aprendi, que existe uma diferença entre conhecer o caminho e trilhar o caminho." Trilhemos.

O caminho que leva à compaixão tem quatro Cs: **consciência, conexão com o outro, compromisso** e **curiosidade**. São esses os quatro elementos que nos levarão à condição que tanto nos ajudará na velhice.

O primeiro ponto é lembrar que o altruísmo é parte da natureza humana. O Dicionário Houaiss define assim essa característica: "tendência ou inclinação de natureza instintiva que incita o ser humano à preocupação com o outro".

Não precisamos aprender nem treinar o altruísmo – apenas libertá-lo. Como Michelangelo, que, diante da pedra bruta, dizia que suas maravilhosas esculturas já estavam ali, o papel dele era apenas libertar a obra que havia dentro dela. Nosso olhar para os outros seres humanos deveria ser o do grande gênio para a pedra: estamos diante de uma obra perfeita, que só precisa ser descoberta e libertada pelo olhar de quem contempla.

O psicólogo americano Daniel Goleman, autor de *Inteligência emocional*, escreveu mais recentemente um livro que traz um experimento extraordinário. Chama-se *Inteligência Social – A ciência revolucionária das relações humanas*. Nele, o famoso escritor ensina que a natureza da sociedade é compassiva – apenas temos que deixar essa característica aflorar, como as obras de Michelangelo. Isso pode ser bastante difícil num ambiente que opera para inibir essa atitude, mas não é impossível.

Um experimento descrito por Goleman envolve crianças pequenas. Quando colocamos dois recém-nascidos em uma mesma sala e um deles chora, o outro logo o imita (quem tem filhos gêmeos sabe perfeitamente do que estou falando). Goleman também observou crianças de 14 meses e constatou que, se uma começava a chorar, a outra logo se aproximava em uma tentativa espontânea de resolver o problema da que chorava: oferecia a chupeta, fazia um carinho, entregava seu brinquedo favorito, compartilhava a papinha. Valia tudo para transformar o choro da outra em sorriso.

Um bebê de 14 meses não está preocupado em impressionar ninguém. Não está pensando em reencarnar como uma pessoa melhor nem em obter vantagem: está apenas manifestando sua real natureza.

Se deixamos um bebê de 14 meses sozinho numa sala e colocamos um áudio do próprio choro dele, nada acontece, porque a criança identifica a si mesma e, sabendo que está bem naquele momento, não reage. Se o choro é de outra criança, porém, esse mesmo bebê para tudo e observa ao seu redor: onde está quem chora? Se não encontra, começa a chorar também. Esse experimento me comoveu profundamente. Aos 14 meses de vida, um bebê cai em prantos quando não consegue ajudar outro que precisa de ajuda. O sofrimento do outro motiva o nosso sofrimento. Nascemos assim, mas esquecemos disso.

Relatei essa experiência em um workshop certa vez. Um dos presentes ouviu com extrema atenção, o rosto expressando consternação crescente à medida que eu falava. "Estou fazendo tudo errado", ele veio me dizer depois. Tinha ido a um shopping center com o filho de 2 anos e, num corredor, cruzaram com outra criança chorando num carrinho. O filho o puxou insistentemente pela mão, tentando aproximar-se do carrinho da criança que chorava. O pai resistiu, explicando ao filho que aquele bebê tinha pai e mãe, que o choro não era da conta deles, mas o menino começou a chorar também. O pai ralhou: "Como é que você pode estar chorando por alguém que nem conhece? Não é assim que as coisas funcionam." Eu disse a esse pai que seu filho era pequeno e que ainda viveria muitas situações em que ele poderia estimulá-lo a exercitar sua compaixão natural.

Bons, belos e verdadeiros

Vivemos em busca do que é bom, belo e verdadeiro, porque isso nos permite demonstrar quão bons, belos e verdadeiros nós somos, sem precisar esconder nossas qualidades por nos sentirmos ameaçados.

"Bom" e "belo" são adjetivos mais fáceis de associar a comportamentos e aspectos da nossa humanidade. Já quando falamos de "verdadeiro", o cenário ganha complexidade. Quem somos nós, verdadeiramente? Que vida construímos até chegar à velhice e, por fim, à morte? Muitos de nós sonhamos em construir trajetórias à imagem da de pessoas que nos inspiram profundamente, como Jesus Cristo, Buda, Chico Xavier, mas, no fim das contas, quem somos? Em *Alice no País das Maravilhas*, a protagonista se pergunta: "Quem sou eu?" E ela própria responde: "Sei lá. De manhã eu era pequena, depois fiquei grande, depois não entendi nada, me afoguei nas minhas lágrimas."

Quem somos nós é uma pergunta que precisa ser respondida, mesmo que a cada dia sejamos diferentes do que fomos na véspera. Essa é a **consciência**, o primeiro dos quatro Cs.

Somos seres em constante transformação, e, se a vida nos pede a coragem de perguntar a nós mesmos quem somos de verdade, também nos convida a nos reconhecermos a partir do olhar do outro. Muitas vezes, em palestras e encontros, sou apresentada ao público por uma pessoa que faz uma descrição de mim. Em algumas ocasiões me reconheço nessas palavras, mas nem sempre – e há riqueza em percebermos como o mundo nos vê. Esse é o segundo passo do caminho da compaixão, **conectar-se com o outro**. Nossa existência depende do outro. Não existe autossuficiência. Podemos e devemos buscar um espaço de autonomia emocional, mas o reconhecimento de quem somos depende de um olhar externo.

Para mim, nenhuma história ilustra tão bem a conexão com o outro, com algo fora de nós, quanto a de madre Teresa de Calcutá. E não pelos motivos óbvios. Talvez a trajetória dela surpreenda você.

Madre Teresa de Calcutá foi uma missionária católica que, em 1979, recebeu o prêmio Nobel da Paz por seu trabalho para aliviar o sofrimento dos pobres. Em 2016, em reconhecimento de sua obra, o papa Francisco declarou-a santa. Nascida na Macedônia, ingressou na ordem religiosa das irmãs de Loreto na Irlanda, mas seu destino estava na Índia, para onde imigrou muito jovem. No fim dos anos 1940, resolvida a dedicar sua vida aos moribundos, criou a ordem das Missionárias da Caridade. Após a morte de madre Teresa, em 1997, as missionárias perpetuaram seu legado e vêm servindo aos pobres em mais de noventa países do mundo.

Essa é a história que todo mundo conhece. Porém madre Teresa aparece aqui para nos oferecer uma história sobre o sentido da vida, o questionamento que nos acompanha ao longo da jornada e pode se tornar causticante na velhice, sobretudo se não encontramos respostas.

A jovem Teresa tinha uma devoção muito grande a Jesus Cristo.

(Abro parênteses para lembrar que vivemos em um país no qual 90% da população declara acreditar em Deus; deste grupo, a maioria professa religiões que têm Cristo como denominador comum: católicos, evangélicos e espíritas têm raízes cristãs. Mesmo aqueles que não se vinculam a um credo religioso reconhecem a importância da história cristã para o mundo ocidental. Basta dizer, por exemplo, que nosso calendário se divide em antes e depois de Cristo. Continue lendo, por favor, mesmo que Cristo não seja relevante para a sua vida.)

No caso de Teresa, havia relatos de que, mais do que devoção, ela vivia experiências místicas com Jesus Cristo. A freira mantinha com ele conversas de alta complexidade. Numa dessas conversas, Jesus teria revelado seu plano para ela: uma grande missão na Índia, com provações indizíveis. Para cumpri-la, Teresa precisaria deixar o claustro, uma ruptura dos dogmas. "Discutiram" todos os detalhes e a jovem Teresa viu-se frente a frente com seu destino.

À época Teresa tinha um mentor espiritual, Brian Kolodiejchuk, um bispo com quem trocava cartas e a quem explicou a missão que Jesus lhe havia delegado. A jovem freira certamente ouviu algo assim: "Você está doida! Você é uma religiosa, Teresa, e seu lugar é dentro dos muros do convento. Só os padres saem. Que falta de noção!" Mas Teresa insistiu: fora um pedido de Jesus, afinal. O bispo recorreu ao papa da época, Pio XII, que, surpreendentemente, liberou-a do claustro. Teresa ganhou a adesão de outras religiosas, que deixaram o convento para segui-la.

No dia em que pôs os pés fora do convento, acabaram-se as conversas místicas com Jesus.

Teresa pensou que talvez houvesse algo errado, mas sua

missão estava posta e não podia voltar atrás. Assim, durante meio século essa mulher cuidou dos pobres e doentes, que recolhia pelas ruas miseráveis de Calcutá e levava ao espaço que ergueu para acolhê-los. Ao mesmo tempo, mantinha correspondência com o mentor, contando-lhe sobre toda a tristeza, as humilhações, o sofrimento que presenciou. (Mais tarde, essa correspondência daria origem a um livro escrito por ele, *Venha ser minha luz*). E Jesus? Silêncio. Nunca mais uma conversa, nunca mais uma experiência como as do passado.

Então houve um momento em que Teresa indignou-se. "Deus não existe! Jesus não existe!", escreveu ao bispo. Ele respondeu com um questionamento: Ora, se não acreditava em Deus, iria interromper sua obra e voltar para a Irlanda? A freira recuou: estava convencida da inexistência de Deus, mas, se desistisse, quem ajudaria seus pobres, seus doentes, suas crianças? Tenho que continuar, concluiu. E seguiu com sua missão, relevando o silêncio divino, convencida de que após a morte só havia o nada. Certa vez, disseram-lhe que um dia ela seria aclamada como santa. "Se um dia isso acontecer, serei a santa da escuridão", respondeu Teresa.

Já muito idosa, durante uma meditação – havia desistido de orar e apenas meditava –, Teresa teve uma luz. Lembrou-se da passagem bíblica em que Jesus vai ao Monte das Oliveiras, sabendo que seria preso, condenado e crucificado, e pede a Deus: "Pai, afasta de mim esse cálice." E ele não obteve resposta.

Apesar do silêncio divino, Jesus cumpriu seu calvário.

Teresa entendeu que aquela história guardava uma

mensagem para ela. "Sou mesmo a favorita, porque só comigo Jesus compartilhou o silêncio que viveu." Cinquenta anos depois de iniciar sua obra caridosa, ao captar finalmente o sentido do silêncio, ela voltou a ter experiências místicas com a presença de Jesus.

Norma e os atos de bondade

A história tão real e humana de madre Teresa nos impõe algumas perguntas vitais para a vida, a velhice e a morte: Se nada daquilo em que acreditamos for verdade, continuaremos fazendo o que fazemos? Seguiremos no mesmo caminho, firmes em nossa busca, que talvez seja a busca por saber quem somos a partir de nós mesmos, e não do sagrado em que acreditamos?

E mais: por quanto tempo conseguiremos permanecer no silêncio, sem uma resposta, como Teresa diante de seu questionamento de meio século sobre a existência de Deus?

O poder de uma pergunta aberta – O caminho de Buda para a liberdade, de Elizabeth Mattis-Namgyel, é um livro maravilhoso e muito popular entre os seguidores do budismo. Nele, a autora nos convida a fazer a nós mesmos perguntas desafiadoras, argumentando que elas não apenas nos conduzirão aos territórios da nossa inteligência mais profunda como nos protegerão da nossa tendência a chegar a conclusões inquestionáveis. Se o menciono aqui é porque, nessa nossa exploração das trilhas da velhice, a caminho da morte, precisaremos, cada vez mais, nos demorar nas perguntas.

Isso me leva a outra obra inesquecível, *Cartas a um jovem poeta*, de Rainer Maria Rilke. A certa altura, ele escreve sobre as perguntas que temos que fazer quando somos jovens, mas penso que seus conselhos valem para todos os momentos da vida. Rilke diz que deveríamos amar as perguntas com a paciência de quem ainda não consegue entender o que está escrito em livros com palavras de outras línguas. Graças ao nosso amor pelas perguntas, algum dia as respostas se tornam a nossa realidade.

Misturei referências ao budismo e ao catolicismo para mostrar o caminho legítimo de quem se importa com o outro, independentemente de um deus que nos observe. Temos que jogar limpo com a existência. Dentro da compreensão dos ciclos budistas de renascimento, melhor voltar como um pé de alface na próxima vida. Como pé de alface, podemos guardar uma ameba que provocará diarreia, mas não mataremos ninguém.

O propósito da nossa existência não pode ser somente favorecer a nossa própria existência. Em *Um coração sem medo*, o monge Thupten Jinpa nos lembra que o mundo depende dos atos de bondade.

E atos de bondade me fazem pensar na Norma.

Não sei o sobrenome dela. Só sei que Norma mora na Rocinha, a imensa comunidade que se espalha pela Zona Sul do Rio de Janeiro entre os bairros da Gávea, de São Conrado e Vidigal. Eu a conheci por meio de Alexandre Silva, enfermeiro e professor da Casa do Cuidar, a organização social que criei em São Paulo para oferecer cuidados paliativos (e que tem a compaixão como essência). Alexandre realiza um trabalho lindo dentro da Rocinha.

Comovida e impressionada, me juntei a ele logo que o conheci. Na minha primeira visita, encontrei as quatro voluntárias que trabalham com ele. Norma é uma delas.

Essas mulheres cuidam de pessoas na fase final da vida: banham, medicam, alimentam, trocam fraldas. Fraldas de pano, diga-se de passagem, porque não há dinheiro para as caríssimas descartáveis. Você lavaria as fraldas de pano do seu pai? Uma primeira resposta, quase automática, seria: "Claro!" Mas duvido que essa certeza resista a um sangramento gastrointestinal, em que as fezes – lamento o momento escatológico, mas acho didático – são sangue digerido. "Nem por muito amor", você me diria então.

Pois essas voluntárias lavam as fraldas de pessoas que não são seus parentes.

Nada falta aos doentes da Rocinha. Moro em um grande condomínio na Zona Sul de São Paulo, dividindo espaços e prédios com outros 5 mil habitantes. Na minha comunidade chique, se eu passar mal, não tenho certeza de que me acudirão. Na Rocinha, até os traficantes sinalizam para a equipe de cuidados paliativos quem são as pessoas que precisam de ajuda. Longe de mim romantizar o tráfico nos morros do Rio, mas fato é que a criminalidade protege os doentes e viabiliza o cuidado deles.

Os doentes são as pessoas mais poderosas do Universo. Deles brota um espaço de compaixão que alcança quem se aproxima. Sua fragilidade desperta no outro a capacidade de cuidar e proteger.

Pois quando conheci Norma preenchi meu álbum de figurinhas das melhores pessoas do mundo. Se o mundo não acaba, é por causa de gente como ela e suas três companheiras de ofício. Perguntei a Norma por que ela realizava aquele trabalho.

Ela, sentadinha:

"Nossa, doutora, ninguém nunca me fez essa pergunta."

Eu: "Então não deve ser difícil responder. Por que você faz isso?"

Norma: "Ah, porque não dá para a gente ser feliz se os outros não forem."

Não resisti.

"Norma, você é feliz?"

"Muito, doutora!" Não houve hesitação na resposta.

"Onde você mora?"

"Ah, eu moro aqui, na rua 2."

"Com quem você mora?"

Agora, sim, Norma fez uma pausa. Começou a contar nos dedos da mão quantas pessoas viviam no seu barraco. Catorze.

"Eu sou feliz, doutora", reforçou, talvez imaginando que pudesse parecer difícil de acreditar.

"Que bom conhecer uma pessoa feliz!", exclamei, antes de me despedir.

Se Norma, com sua simplicidade, fosse chamada a explicar o propósito de sua existência, estou certa de que diria: "Fazer os outros felizes."

Da conexão firme e convicta com o outro nasce o terceiro dos quatro Cs que nos levarão à compaixão: o **compromisso**. Esse compromisso celebra o novo mundo que conseguimos enxergar a partir dessa nova conexão. Quando chegamos a esse estágio na escala da evolução da compaixão, coisas estranhas acontecem. Começamos a torcer para que o outro discorde de nós e assim nos ofereça um panorama diferente sobre certo aspecto da vida, possibilitando a troca. O compromisso faz com que deslizemos suavemente para o quarto C do caminho da compaixão, que é a **curiosidade**.

Reflitamos sobre esses dois Cs em nossa caminhada. O compromisso com o outro exigirá de nós o bem mais precioso que temos a oferecer: nosso tempo. Embora pareça um recurso limitado, lembremos que ele é generoso e está a nosso serviço. "Não nos falta tempo. Nós é que não o ocupamos com a nossa presença", escreveu o filósofo Sêneca. Quando penso sobre os dilemas que o tempo nos impõe, sempre me vem à mente a menina Momo, personagem do livro *Momo e o senhor do tempo*, obra infantil de Michael Ende.

Abandonada pela família, Momo vive sozinha num coliseu e possui algo que a diferencia dos demais moradores de sua cidade: tempo. As pessoas vão falar com ela porque querem ser ouvidas. Na verdade, quando o fazem, elas escutam a si próprias. Essa é outra faceta, igualmente bonita, do compromisso.

Quando nos conectamos com o outro e decidimos assumir um compromisso com ele (não me refiro a relações lineares, como pai, mãe e filho), de alguma forma somos bem-sucedidos nessa tarefa. Muitos anos atrás, quem me ajudou a lidar com essa percepção de que damos conta foi Beppo, o varredor de ruas, outro personagem da história. Os moradores da cidade vivem duvidando de sua capacidade de varrer todas as ruas, mas Beppo diz:

"Nunca devemos pensar na rua inteira de uma vez, está entendendo? Devemos pensar apenas no passo seguinte, na respiração seguinte, na varrida seguinte, e continuar sempre pensando só naquilo que vem a seguir.

[...] Fazendo assim, temos prazer. Isso é importante, e o trabalho sai bem-feito. Assim é que deve ser.

[...] De repente, verificamos que, passo a passo, chegamos ao fim da rua comprida, sem perceber e sem perder o fôlego."

A vida deveria ser sempre assim, e não apenas na velhice. Deveríamos nos ocupar do momento em que estamos – no máximo, do momento imediatamente seguinte. Não temos que aguentar tudo de uma vez. Só temos que suportar o agora, e às vezes mesmo apenas esse agora pode ser pesado.

Tem tempo quem sabe sonhar. O caminho da compaixão é o caminho da entrega àquilo que se coloca diante de nós no momento presente.

"Lavar os olhos"

É possível que você que me lê pense: e quando o que se coloca diante de nós no presente é o sofrimento físico? A dor? O ar que falta? Uma pedra no rim? Uma úlcera na córnea?

Nenhum projeto de meditação é mais potente do que a dor. Quando estamos com dor, não conseguimos fazer nada além de senti-la. Ela e nós nos tornamos um bloco único de sofrimento. Tentamos pensar em outra coisa, mas a dor nos subjuga. Quando dói, estamos 100% no presente. Concorda até aqui?

Agora pense comigo: se nascemos capazes de estar plenamente presentes na dor, por que não podemos vivenciar plenamente a alegria? Essa percepção talvez nos permita suportar a dor com mais leveza. Impermanência é o conceito que nos guia aqui: tenhamos consciência de que tudo passa, seja bom ou ruim. A natureza do momento é acabar. Nós nascemos para a morte; é a nossa natureza. Impermanente.

Já que vamos acabar um dia, por que não viver o momento presente, e apenas ele, no sofrimento e na alegria?

Do compromisso com o outro no momento presente nasce a curiosidade. Ela anda de mãos dadas com a humildade; uma pessoa que sabe, ou pensa que sabe, não é curiosa. Quem só tenta comprovar o que já sabe é outra coisa: chato. A pessoa chata não desperta no outro a curiosidade nem o desejo de conexão porque ninguém quer saber nada a respeito de um chato. Curiosidade pede coragem para se conectar com o outro e entrar em um mundo totalmente diferente do seu. Humildade é um pré-requisito para essa viagem ao planeta alheio. Não viajamos até lá para confirmar nossa impressão, e sim para conhecer a do outro, de fato.

A sabedoria budista nos incita a "lavar os olhos" sempre que vamos encontrar alguém. Lavar os olhos para não tingir o outro com nossos preconceitos. Lavar os olhos para nos libertarmos dos preconceitos até a respeito de nós mesmos. Lavar os olhos porque a realidade às vezes é difícil ou doída de enxergar. Lavar os olhos para ver melhor as coisas bonitas. A natureza, mágica, nos presenteou com uma torneirinha que lava olhos e que se põe a funcionar logo que saímos do ventre materno.

É tão bela essa imagem de lavar os olhos para ver melhor! E ela nos ajudará na velhice porque, independentemente do tempo vivido, sempre haverá tempos desconhecidos a viver no nosso Saara pessoal.

Então, quatro passos cumpridos, chegamos à compaixão.

Compaixão é diferente de empatia, outra palavra tão em moda e ao mesmo tempo tão desgastada nestes tempos pouco empáticos.

A pessoa empática tem a necessidade de se colocar no lugar de alguém que sofre. É como se precisasse pôr o dedo na tomada para comprovar que dá choque, enquanto a pessoa compassiva cobre a tomada com um protetor para que ninguém se fira. Dependendo da capacidade interior de gerenciamento das próprias emoções, o empático pode acabar abraçando o sofrimento do outro como algo pessoal, seu, sem perceber que, agindo assim, o que há é o sofrimento autocentrado. Ao sofrer pelo outro, entra em estresse relacionado à impotência. Esse sentimento desencadeia no cérebro uma descarga de adrenalina, que provocará reações de luta, fuga ou congelamento diante da situação que parece impossível de resolver.

Às voltas com o estresse gerado pela "adrenalina empática" – chamemos assim –, há quem congele, justificando sua inação com argumentos como "O sofrimento faz parte da vida humana". Isso é condenável e não tem nada a ver com compaixão. A meu ver, pessoas assim são como zumbis existenciais, observando o sofrimento alheio e pensando "A vida é assim mesmo" ou "Isso não é comigo".

Na sociedade compassiva que Daniel Goleman acredita haver sob a superfície indiferente, é conosco, sim.

Há quem fuja, nem sequer se atrevendo a aproximar-se de quem sofre.

E finalmente há quem lute, oferecendo suas melhores armas no esforço para atenuar o sofrimento do outro. Participo de alguns grupos de apoio a pessoas enlutadas e sempre me emociono quando entra alguém não para receber ajuda, mas para amparar quem viveu o mesmo drama.

Certa vez encontrei uma jovem que tinha perdido o pai. "Estou aqui para encontrar outras pessoas que passaram por isso e para dizer a elas que estamos juntos. Para perguntar: O que você está fazendo para melhorar? Pois eu estou fazendo..." – e começou a listar suas atitudes para lidar com o luto da melhor maneira possível. Aprendi com a doutrina budista que podemos estar no inferno, mas nem por isso precisamos fazer parte dele. Ajudar alguém que está no inferno conosco, aliás, é a melhor maneira de sair dele.

Muitas vezes, nossa presença é a melhor ajuda que podemos dar. Tenho para mim que quanto menos soubermos o que dizer, melhor nos sairemos nessas situações. Nossa humildade fala diretamente ao coração daquele que precisa de ajuda.

E, em algum momento, todos precisaremos de ajuda. No Saara, talvez como nunca.

No primeiro semestre de 2021, no pior momento da pandemia, perdi um amigo por quem eu nutria enorme afeto e admiração. Ariel era médico como eu. Teve a forma mais grave de covid-19 e viveu meses de grande sofrimento na UTI. Como ele morava em outra cidade, viajei algumas vezes para vê-lo, movida pela esperança de contribuir de alguma maneira para sua recuperação. Sua partida me levou a um território de luto profundo. Mas, por causa de tudo que escrevi até aqui, sei que Ariel vive dentro de mim. Saiu do mundo concreto, permanece no mundo simbólico. Em parte, existo e sei quem sou pelos olhos do meu amigo. Minha experiência de perdê-lo, portanto, está muito mais relacionada à transformação do que à destruição.

Tive muito amparo ao lidar com a morte desse grande amigo e, mais de uma vez, fui socorrida pela força da compaixão. Curiosamente, houve quem se surpreendesse com minha dor, acreditando que, por ser médica e lidar tanto com a morte, eu estaria imunizada contra o sofrimento. É um pensamento análogo ao das pessoas que, por levarem uma vida "certinha", alimentando-se bem, dormindo bem, praticando atividades físicas, etc., acham que jamais vão adoecer. Ora, vão. Não existe isso de que nada de ruim pode acontecer a quem faz o bem. Assim como não há vacina contra a dor da perda. Fazer o bem é um modo de viver, não um trajeto ao final do qual encontraremos benefícios.

O caminho da compaixão é uma escolha de como "funcionaremos" neste mundo. Escrevi escolha, mas, na verdade, não tenho certeza sobre isso. Talvez não seja opcional, ao menos se desejamos viver bem, envelhecer bem e morrer a morte bela (ou a tão bela quanto possível). Da mesma maneira que nosso sangue corre dentro de nós a uma determinada velocidade, que nosso coração bate com uma frequência desejável, que nossas taxas de colesterol devem estar equilibradas, todos precisamos de um índice básico de compaixão e amorosidade na circulação sanguínea para viver. Sem esse requisito, passaremos pela vida sem jamais compreender a beleza que há nela.

Em busca da elevação moral

A compaixão tem o maravilhoso efeito colateral de nos levar a um estado de elevação, que pode ser definido como "um estado emocional específico que é desencadeado por testemunhar demonstrações de virtude profunda e beleza moral", segundo o estudo feito por Walter Piper, Laura Saslow e Sarina Saturn.[*] Se vivenciamos ou observamos um momento de bondade e compaixão, nos sentimos elevados e nosso corpo é inundado por hormônios de rejuvenescimento cerebral. Um bálsamo para organismos e mentes calejados pelos anos.

Convido você a viver um momento de elevação através de uma linda história de compaixão.

Conheci dona Arminda num hospice, uma unidade exclusiva de cuidados paliativos. Era uma senhora muito simples, gentil, que vinha do interior mais profundo da Bahia e vivia com o cabelo trançado. Chegou num dia em que houve muitas internações, médicos todos ocupados, de modo que seu processo de admissão foi feito pelo capelão, padre Arizeu. Mas eu estava perto o suficiente para ouvir o final da conversa, em que dona Arminda avisava ao padre:

---

[*] PIPER, Walter; SASLOW, Laura e SATURN, Sarina. (2015). "Autonomic and Prefrontal Events During Moral Elevation. Biological Psychology". 108.10.1016/j.biopsycho.2015.03.004.

"Deus sabe o que faz. Ele é quem decide o que é melhor para mim."

Pensei comigo mesma que, se dona Arminda já tinha feito uma DR com Deus e resolvido com o Sagrado a questão de sua morte, os profissionais de saúde não teriam muito espaço de manobra. Dia após dia fomos cuidando dela, controlando a dor e a fadiga e administrando a ansiedade da família.

Um dia, dona Arminda passou mal. Confusa e agitada, vomitou e se sujou toda. Na hora de banhá-la, a equipe de enfermagem destrançou seu cabelo longo e assim, com os fios grisalhos espalhados sobre o travesseiro, ela adormeceu.

Despertou de madrugada, em desespero. Passando as mãos pela cabeça, percebeu o cabelo solto. Desceu da cama e percorreu os corredores do hospice aos gritos de "Eu não quero morrer!". Não entendemos nada até que a filha explicou: no lugar de onde vinham, destrançar o cabelo significava estar pronta para morrer. Era como se as tranças prendessem a pessoa ao mundo, permitindo a ela o controle sobre seu destino. Desfeito o penteado, a morte estava no comando. Dona Arminda não estava pronta.

A velha senhora só se acalmou quando uma enfermeira lhe trançou novamente os cabelos.

As semanas se passaram, dona Arminda ficando cada vez mais debilitada pela doença que a levaria. Depois do episódio da trança, ninguém da equipe ousava falar com ela sobre a morte, acreditando que ainda não estivesse preparada. Um dia, quando eu estava passando visita, ela fez sinal para que me aproximasse. Com bastante dificuldade, balbuciou no meu ouvido algo que não entendi. Ela percebeu, afligiu-se por não ser compreendida. Olhei-a nos olhos e disse:

"Fale, dona Arminda, que agora eu vou conseguir entender."

Ela então sussurrou:

"Destrança o meu cabelo."

E eu destrancei o cabelo dela. Naquele momento havia bastante gente à nossa volta, todos chorando. Você e eu estamos distantes agora, mas posso imaginar que talvez haja lágrimas nos seus olhos. Espero ter transportado você para aquela cena, aquele momento de pura beleza.

Ainda de acordo com o estudo de Walter Piper e seus companheiros, a "indução de elevação moral recruta um padrão autonômico e neural incomum que é consistente com a compreensão de um fenômeno chamado alostase".

Mas o que é alostase?

Todos nós vivemos em homeostase, a capacidade de o organismo manter-se em equilíbrio determinado por sinais disparados pelos órgãos do corpo; alguns exemplos desses sinais são a frequência cardíaca, pressão, temperatura, o índice de sódio e potássio, entre muitos outros. Não temos o poder de alterar esse equilíbrio. Não adianta desejarmos que o nosso sódio seja 135 porque não estamos no comando – não dessa maneira. Para mudar esse placar é preciso se esforçar muito, e sempre com risco de piorar alguma variável do equilíbrio. Melhor nem tentar.

Por outro lado, a alostase depende de nós. Nesse fenômeno, nossa consciência mostra-se capaz de intervir em processos fisiológicos do nosso corpo, ou seja, na homeostase. Temos esse poder. Nossa consciência, nossa conexão com o outro, o estado de compromisso e a curiosidade que brotam dessa condição conseguem modificar nosso equilíbrio interno, criando um espaço de rejuvenescimento cerebral e de melhor desempenho das nossas capacidades físicas e mentais. Se ao longo da vida esse desdobramento é desejável, no envelhecimento ele será essencial.

Pratiquemos.

EPÍLOGO
UM PAPO RETO COM VOCÊ QUE ME LÊ

*"Quem é você? De que valeu sua existência?
Se não descobriu ainda, talvez seja a hora
de descobrir."*

Se eu puder expressar o que desejo que você sinta ao final deste livro, após tantas reflexões sobre o que nos espera no Saara, direi: espero que esteja disposto a se preparar, da melhor maneira possível, para a sua última etapa antes da morte.

Espero, também, que saiba um pouco mais sobre si mesmo. Quem é você? O que faz para melhorar o lugar onde vive? De que valeu a sua existência? Ah, não descobriu ainda? Talvez seja a hora de descobrir. Talvez, não; *é a hora.* Não perca mais nem um minuto investigando *por que* você está aqui. E não vale dizer que está aqui para descobrir quem é. Se você tiver condições de, a partir do que viveu, transformar a vida de outra pessoa em algo que vale a pena viver, terá valido a pena. Você já estará pronto para entrar no ciclo do morrer.

Gostaria que, a cada dia que voltasse para casa, você se olhasse no espelho e dissesse à sua imagem: "Gosto mais dessa pessoa do que daquela que saiu hoje cedo. Ela é melhor porque tem um dia a mais de experiência."

No envelhecer, mais do que nunca, precisamos abrir mão da necessidade de dizer que cada dia é um dia *a menos* de vida, um dia mais perto da morte. Precisamos olhar para o nosso tempo como algo que nos pertence, que é a nossa história. Ao fazer isso, contemplaremos todo o nosso ciclo de vida, até a etapa final que é a velhice, até o dia em que a nossa morte chegar, até o momento em que a morte virá para alguém que amamos. Espero que consiga pensar naquela pessoa que morreu e confidenciar a ela, como se estivesse próxima: "A sua vida valeu a pena porque a minha vida é melhor graças ao tempo em que você esteve presente nela."

Todas as vidas são grandiosas.

No primeiro ano da pandemia, cuidei de um paciente nascido na Europa que tinha imigrado para o Brasil e se apaixonado pelo nosso país. Arquiteto de formação, jardineiro de coração, entregou-se à contemplação e à inovação na proteção da natureza. Fez muitos amigos e era querido por todos. Quando adoeceu, com câncer, esses amigos se uniram para ajudá-lo a pagar o tratamento e, mais tarde, quando a doença se mostrou irreversível, os cuidados paliativos. Foi quando o conheci.

Não demorei a enxergar o homem maravilhoso que ele era, com uma magnífica história de transformação do mundo e da vida de centenas de pessoas, de maneiras indizíveis. A esposa tinha enorme dificuldade em aceitar a evolução da doença; mais de uma vez me disse: "Ele é tão bom! Por que vai morrer tão cedo?" Creio que esperava de mim algo miraculoso. Mas o milagre real foi o nosso encontro.

Vamos chamá-lo de Paul. Tinha dez anos mais que eu. Na nossa primeira conversa, perguntei:

"O que te preocupa no processo que você está vivendo neste momento?"

"Me preocupa não comemorar com a minha mãe o próximo aniversário dela."

"E quando sua mãe faz aniversário?", eu quis saber.

"Em agosto."

Eu também sou de agosto, disse a ele. Do dia 12.

A esposa entrou na conversa:

"Você faz aniversário dia 12 de agosto?"

Confirmei com a cabeça.

"Ele também!", falou, apontando o marido. "Nossa! A primeira pessoa que conhecemos, além dele, que faz anos no dia 12 de agosto!" A mulher fez uma pausa. "Você sabe o que significa fazer aniversário nesse dia?"

Pensei um pouco.

"Além de ser leonina, não vejo nada mais importante", tentei brincar.

Os dois se entreolharam. Eu já havia notado que tinham apreço por sabedorias diversas. Conheciam um pouco da saúde sob a perspectiva ayurvédica, tinham boas noções de medicina chinesa. A mulher então explicou:

"Cada dia do ano tem seu anjo, que protege a pessoa nascida naquele dia. Mas existem cinco datas que não têm anjo. Dia 12 de agosto é uma delas."

"Acho então que isso é difícil, não é? Não ter anjo parece meio perigoso...", comentei, na falta de algo melhor para dizer.

"Na verdade, é o contrário", ele explicou. "As pessoas que nascem nesses dias têm potencial para transformar o mundo. Daí o Universo põe todos os anjos a serviço delas."

Não pude evitar um sorriso. "Eita! Doze de agosto, bingo! Batalha naval, submarino grande, imenso!"

A esposa se comoveu. Segurou a mão do marido e disse:

"Meu amor, você é tão importante para o mundo que o Universo nos mandou alguém tão especial quanto você."

E a magia se fez. Nada do que eu dissesse dali em diante faria diferença. Por um mistério que dizia respeito a algo que eles consideravam sagrado, eu era a pessoa destinada a cuidar de Paul.

Ao longo da nossa vida, viveremos muitas experiências de conexão com o outro e que terão a ver com o significado que cada um atribui àquele encontro. No caso de Paul, aquela data comum costurou entre nós um vínculo forte no finalzinho da vida dele. Perto do momento de sua morte, ele perguntou de maneira direta:

"Eu estou morrendo?"

Fez-se silêncio enquanto eu procurava o que dizer. Ele sorriu e me olhou nos olhos.

"Pode dizer, não tenha medo."

Já aconteceu muitas vezes de eu querer ajudar alguém e, na prática, ser a pessoa quem me encoraja a fazer o que é necessário. Eu sorri debaixo da máscara. Paul percebeu.

"Pode falar. Você já me preparou para ouvir a resposta."

Na véspera da morte dele, fui visitá-lo. Estava frágil, com desconforto para respirar, cansado. Ajudei a cuidar dele naquela noite. Propus usarmos morfina para aliviar a falta de ar. Ele perguntou se isso lhe faria mal; respondi que não. Enquanto o técnico de enfermagem não chegava para assumir os cuidados, eu mesma preparei a medicação e administrei. Em poucos minutos Paul já respirava com mais facilidade. Sorrindo, ele me pediu que o ajudasse a dormir.

O tratamento indicado era a sedação paliativa, pois todos os recursos para alívio do sofrimento tinham sido empregados e mesmo assim ele não conseguia dormir como gostaria. Perguntei se desejava ser mantido sob sedação durante todo o seu tempo restante de vida. Ele sorriu.

"Não, Ana, me acorde amanhã de manhã. Tenho um compromisso importante."

Assim foi feito. Na manhã seguinte a sedação foi desligada, ele despertou, recebeu uma grande amiga, eles conversaram sobre o amor e então ele se foi. Missão cumprida. Eu respeitei sua história. Ele me ajudou a respeitar a minha. Não julguei a crença nos anjos (ou na ausência deles no 12 de agosto). Apenas me abri à curiosidade de entender o outro e vivi uma das conexões mais potentes da minha vida.

Quero relembrar a você que histórias e conexões constroem passados e que as memórias resultantes disso nos abastecerão lindamente nos anos da velhice. Também nos apoiarão quando tivermos que lidar com a percepção daquela que talvez seja a nossa última perda: a perda do futuro.

Quando meu filho entrou na faculdade, tive um forte impulso de ligar para a minha mãe – um fenômeno parecido com o que relatei sobre o dia da eleição. Queria contar a ela; sabia quão feliz ficaria. No entanto, eu não poderia celebrar com Cecília; minha mãe não estaria comigo na formatura. Essa história não tem um futuro.

Mas eis que, se eu fechar os olhos, consigo ver o sorriso dela diante da notícia da aprovação do neto no vestibular. Não se trata da lembrança de um sorriso: é uma visão real. Hoje, se eu tiver alguma dúvida, se precisar de algum conselho da minha mãe, como já precisei, penso: "Caramba, o que ela me diria para fazer?" Nesse instante, visito meus 42 anos de convivência com ela e, com base em tantos conselhos que ela me deu nessas décadas juntas, a resposta vem até mim. A ausência de futuro é relativa.

Ainda em relação ao futuro, deixo um último lembrete: da mesma forma que devemos nos preparar para perder, é necessário preparar as pessoas que amamos para a nossa partida. Se você, por exemplo, é aquele tipo de mãe ou pai que tem absoluta certeza de que os filhos não funcionam sem você, não perca mais tempo e torne-se uma mãe ou um pai melhor. A boa mãe ou o bom pai é aquele que consegue existir dentro do coração do filho, não fora dele. Quem só existe do lado de fora está criando uma relação baseada na dependência. Se uma pessoa declara não poder viver sem nós, é porque não a amamos o suficiente. Não a amamos direito. Será preciso mostrar o espaço que ocupamos no coração dela para que ela possa nos encontrar quando não estivermos mais aqui.

É assim que nos preparamos para perder alguém: amando muito. É algo que teremos que praticar intensamente na velhice, e eu asseguro: amar muito será maravilhoso.

Há tempos, uma amiga muito querida recebeu um diagnóstico de câncer de mama. Ela era jovem, e o câncer, muito agressivo. Quando descobriu a progressão da doença, essa mulher doce e afetuosa começou a tratar muito mal os filhos. Um dia, depois assistir a uma conversa difícil entre eles, perguntei por que estava agindo daquela maneira. "Porque eles têm que aprender a viver sem mim, eu não posso fazer falta." Na verdade, o que ela precisava era se livrar da dor da perda.

O medo da dor da perda nunca salvou ninguém de perder nada: nem emprego, nem milhões no banco, nem o amor, nem filhos, nem pais. Perderemos essas coisas com toda a certeza, independentemente do medo que sentirmos. Então não adianta temer; tenha respeito por suas relações e ame, ame muito. No amor está o caminho para que o outro, privado de nós, encontre forças para elaborar a saudade.

Preparar alguém que amamos para a nossa ausência pressupõe, além de amar muito, ensinar a essa pessoa quem ela é aos nossos olhos, de modo que ela sempre saiba o que representa para nós.

E uma última palavra sobre coragem

As perdas da vida – envelhecer e seus desdobramentos, enlutar-se e sentir dor, adoecer e lidar com limitações à independência e à autonomia, não encontrar sentido para o que vivemos até aqui – nos confrontam com gritos de dor. Acolhamos esses gritos, sensíveis à constatação de que, em meio a eles, é quase impossível ouvir outro som que não o da dor do momento presente. Deixemos vir a dor. Encontremos pessoas que nos ajudem a suportá-la, pessoas com quem nos sintamos "a salvo", como disse meu sábio paciente de anos atrás, até que o bombardeio termine. Peçamos ajuda se não terminar, mas busquemos, conscientemente, os espaços de silêncio que jazem dentro de cada um de nós. Nesses espaços mora a resposta sobre o que é preciso fazer nos anos que virão, sobre qual é a nossa missão aqui e o melhor caminho a seguir.

Pode ser que tenhamos rompido relações com Deus por revolta, incompreensão ou soberba. Caso isso tenha acontecido ou venha a acontecer, meu conselho é que nos deixemos inspirar pela história de madre Teresa e o meio século de silêncio entre Cristo e ela. Se Deus não existe, então temos muito que fazer neste mundo, há muita gente de quem cuidar e a quem ajudar. E, se Deus existe e está em silêncio, é porque Ele acredita que dentro de nós habita a consciência profunda e clara da nossa missão, que é seguir em frente mesmo que estejamos no inóspito Saara. A bússola quebrada de Jack Sparrow bate em nosso peito, do lado de dentro.

Sigamos com coragem.

CONHEÇA OUTRO LIVRO DA AUTORA

A morte é um dia que vale a pena viver

Em 2012, Ana Claudia Quintana Arantes deu uma palestra ao TED que rapidamente viralizou, ultrapassando a marca de 1,7 milhão de visualizações. A última fala do vídeo, "A morte é um dia que vale a pena viver", se tornou o título do livro que, desde seu lançamento em 2016, vem conquistando um público cada vez maior.

Uma das maiores referências sobre Cuidados Paliativos no Brasil, a autora aborda o tema da finitude sob um ângulo surpreendente. Segundo ela, o que deveria nos assustar não é a morte em si, mas a possibilidade de chegarmos ao fim da vida sem aproveitá-la, de não usarmos nosso tempo da maneira que gostaríamos.

Invertendo a perspectiva do senso comum, somos levados a repensar nossa própria existência e a oferecer às pessoas ao redor a oportunidade de viverem bem até o dia de sua partida. Em vez de medo e angústia, devemos aceitar nossa essência para que o fim seja apenas o término natural de uma caminhada.

Em *A morte é um dia que vale a pena viver,* Ana Claudia tem a coragem de lidar com um tema que é ainda um tabu. Em toda a sua vida profissional, a médica enfrentou dificuldades para ser compreendida, para convencer que o paciente merece atenção mesmo quando não há mais chances de cura. Após toda a luta, agora os Cuidados Paliativos têm status de política pública, recebendo do Estado a atenção que ela sempre sonhou.

Completamente revista e ampliada, esta edição é uma bela ode à vida e à humanidade.

CONHEÇA ALGUNS DESTAQUES DE NOSSO CATÁLOGO

- Augusto Cury: Você é insubstituível (2,8 milhões de livros vendidos), Nunca desista de seus sonhos (2,7 milhões de livros vendidos) e O médico da emoção

- Dale Carnegie: Como fazer amigos e influenciar pessoas (16 milhões de livros vendidos) e Como evitar preocupações e começar a viver

- Brené Brown: A coragem de ser imperfeito – Como aceitar a própria vulnerabilidade e vencer a vergonha (900 mil livros vendidos)

- T. Harv Eker: Os segredos da mente milionária (3 milhões de livros vendidos)

- Gustavo Cerbasi: Casais inteligentes enriquecem juntos (1,2 milhão de livros vendidos) e Como organizar sua vida financeira

- Greg McKeown: Essencialismo – A disciplinada busca por menos (700 mil livros vendidos) e Sem esforço – Torne mais fácil o que é mais importante

- Haemin Sunim: As coisas que você só vê quando desacelera (700 mil livros vendidos) e Amor pelas coisas imperfeitas

- Ana Claudia Quintana Arantes: A morte é um dia que vale a pena viver (650 mil livros vendidos) e Pra vida toda valer a pena viver

- Ichiro Kishimi e Fumitake Koga: A coragem de não agradar – Como se libertar da opinião dos outros (350 mil livros vendidos)

- Simon Sinek: Comece pelo porquê (350 mil livros vendidos) e O jogo infinito

- Robert B. Cialdini: As armas da persuasão (500 mil livros vendidos)

- Eckhart Tolle: O poder do agora (1,2 milhão de livros vendidos)

- Edith Eva Eger: A bailarina de Auschwitz (600 mil livros vendidos)

- Cristina Núñez Pereira e Rafael R. Valcárcel: Emocionário – Um guia lúdico para lidar com as emoções (800 mil livros vendidos)

- Nizan Guanaes e Arthur Guerra: Você aguenta ser feliz? – Como cuidar da saúde mental e física para ter qualidade de vida

- Suhas Kshirsagar: Mude seus horários, mude sua vida – Como usar o relógio biológico para perder peso, reduzir o estresse e ter mais saúde e energia

CONHEÇA OS LIVROS DE
ANA CLAUDIA QUINTANA ARANTES

A morte é um dia que vale a pena viver

Histórias lindas de morrer

Pra vida toda valer a pena viver

Mundo Dentro

Cuidar até o fim

Para saber mais sobre os títulos e autores da Editora Sextante,
visite o nosso site e siga as nossas redes sociais.
Além de informações sobre os próximos lançamentos,
você terá acesso a conteúdos exclusivos
e poderá participar de promoções e sorteios.

sextante.com.br